Dirgelwch yr Ogof

Dirgelwch yr Ogof

(Nofel am smyglwyr)

T. Llew Jones

Argraffiad cyntaf—Gorffennaf 1977
Ail argraffiad—Mehefin 1978
Trydydd argraffiad—Chwefror 1984
Argraffiad newydd—1989
Pumed argraffiad—Rhagfyr 1996
Argraffiad newydd—2002

ISBN 0 85088 417 9

Dymunaf gydnabod cefnogaeth garedig Cyngor y Celfyddydau a'm galluogodd i gwblhau'r gwaith hwn.
T. Ll. J.

Argrafffwyd yng Nghymru
gan Wasg Gomer, Llandysul, Ceredigion SA44 4QL

I
Nerys a Rhian

Pennod 1

Noson stormus yn niwedd Medi 1788 oedd hi, ac yn neuadd ginio hen blas y Glasgoed, fry uwchben y môr gerllaw Cwmtydu, sir Aberteifi, eisteddai tri gŵr o flaen y tân. Yr oedd y llestri cinio wedi eu clirio ac yn awr eisteddai'r tri yng ngwres y fflamau, â glasied o frandi yn llaw pob un.

Hyrddiai'r gwynt y glaw yn erbyn y ffenest a rhuai o gwmpas yr hen blas fel anifail gwyllt.

Hen ŵr llesg, â'i wallt yn wyn fel eira, oedd un o'r tri. Ef oedd Watcyn Parri, bonheddwr, perchen plas y Glasgoed. Yn ei ymyl, ar y dde iddo, yr oedd Harri, ei unig fab, gŵr ifanc pryd tywyll a thipyn o ddandi a barnu oddi wrth ei ddillad trwsiadus.

Yr aelod arall o'r cwmni bach oedd y Parch John Dafis, ficer y plwy. Dyn mawr, gwritgoch oedd y Ficer—yn edrych yn debycach i ffermwr nag i offeiriad. Dyn llawen oedd e hefyd. Cododd ei wydryn ac edrychodd ar ei gynnwys rhyngddo â'r golau.

"Diferyn o frandi di-ail, Mr Parri," meddai, gan edrych ar yr hen ŵr.

"Ŷch chi'n meddwl, Ficer? Wel, rhowch e o'r golwg, mae 'na rhagor fan hyn," gan gyfeirio at botel ddu, foliog ar gornel y bwrdd.

Gwenodd y Ficer a gwagiodd ei wydryn ag un llwnc. "Wel," meddai, "mae diferyn fel hyn o licer gore Ffrainc yn ardderchog i gadw'r oerfel a'r annwyd draw yr amser 'ma o'r flwyddyn."

Gwenodd Harri Parri. "Rhag eich c'wilydd chi, Ficer! Sut gallwch chi yfed brandi contraband felna gyda chydwybod esmwyth?"

Chwarddodd yr offeiriad yn uchel a daeth gwên fach dros wyneb rhychiog yr hen ŵr hefyd.

"Wyddost ti, Harri," meddai'r Ficer, "mae brandi'n disgyn yng Nghwmtydu 'ma fel manna o'r nefoedd, fachgen! Fwy nag unwaith rwy'i wedi darganfod casgen fach bedwar galwyn y tu allan i ddrws y Ficerdy yn y bore. O ble mae e'n dod? Pwy all ddweud? A phwy all brofi nad yw'r dreth arno wedi ei thalu? Dwy'i ddim yn credu mai'r Tylwyth Teg sy'n dod â chasgen i fi felna nawr ac yn y man, oherwydd dwy'i ddim yn credu yn y Tylwyth Teg."

Cododd Harri Parri i mofyn y botel ddu o'r bwrdd a llanwodd wydryn y Ficer drachefn.

"Eich dyletswydd chi yw mynd â'r casgenni bach 'na at yr ecseisman, dŷch chi ddim yn meddwl?" gofynnodd yn gellweirus.

"Does gen i ddim golwg at y bobol 'na. Mae'n gas gen i ecseismyn, Harri."

"Ond nhw yw gweision y Gyfraith—a'r Llywodraeth . . ."

"Fe wn i, ond maen nhw'n trethu petha da'r hen fyd 'ma, Harri. Sidan—sy'n gneud y merched yn hapus, te—sy'n gneud yr hen wragedd yn hapus, a brandi—sy'n . . ."

"Gneud y Ficer yn hapus?"

"Ie, a llawer gydag e, machgen i. Y trethi sy'n 'i gneud hi'n amhosib i bobol dlawd fwynhau'r pethe da 'ma. Oni bai am y smyglwyr fydde neb ond y cyfoethogion yn gallu 'u cael nhw."

"Y . . . Ficer . . ." meddai'r hen ŵr, a oedd wedi bod yn syllu'n freuddwydiol i fflamau'r tân tra roedd y siarad yma'n mynd ymlaen rhwng y ddau arall.

"Ie . . . ?" meddai'r Ficer gan bwyso'n nes ato.

"Yr hen wraig—Siani Cwmgwybed—y buon ni'n siarad amdani amser cinio . . ."

"Wel?"

"Wel, gan 'i bod hi'n wael yn 'i gwely a neb i edrych ar 'i hôl hi ond y bachgen Dic 'na . . . rwy'n meddwl y bydd rhaid i ni 'i chael hi lan yma i'r plas . . . iddi gael tipyn o ofal . . ."

Ni ddywedodd y Ficer air am funud, dim ond gwenu'n fwyn ar yr hen ŵr yma, a oedd yn cael ei hanner addoli gan holl bobl Cwmtydu oherwydd ei garedigrwydd di-ben-draw tuag at bawb a oedd yn anghenus—a dyn a ŵyr, roedd digon o'r rheini yng Nghwmtydu yn y cyfnod caled hwnnw.

"Pe bydde pawb yn yr hen fyd 'ma fel chi, Mr Parri, fydde dim angen pobol fel fi o gwbwl."

"Ond, Ficer," atebodd y gŵr bonheddig, gan chwifio'i law ddelicet yn ddiamynedd tuag at yr offeiriad, "maen nhw'n ddeiliaid stâd y Glascoed—bron pob un sy'n byw lawr yn y cwm—ac maen nhw'n talu'r rhent i fi . . ."

Ysgydwodd y Ficer ei ben gan wenu eto.

"Ydych chi'n siŵr nawr?" gofynnodd yn hanner cellweirus. Wrth gwrs, fe wyddai ef cystal â neb nad oedd hanner y bobl dlawd a drigai yn y cwm wedi talu'r un ddimai goch o rent i'r Sgweier ers blynyddoedd!

"Wel, maen nhw'n talu pan fedran nhw. All dyn ddim disgwl mwy na hynny. Nid arnyn nhw mae'r bai fod yr amserau'n anodd ac yn galed . . ."

"Gadewch yr hen wraig i fi, syr. Fe wn i am eneth a fydd yn barod i fynd ati am rai dyddie. Dwy'i ddim yn meddwl y bydd yr hen Siani gyda ni am fwy o amser na hynny," meddai'r Ficer.

Yna clywodd y tri sŵn uwchlaw mwstwr y storm y tu allan—sŵn carnau ceffyl yn nesáu ar garlam i fyny'r lôn at y Plas.

Edrychodd y tri ar ei gilydd.

"Doeddwn i ddim yn disgwyl neb heno," meddai'r hen ŵr, "gobeithio nad oes dim newyddion drwg . . ."

Clywsant garnau'r ceffyl yn sgathru'r graean o flaen y drws tu allan, wrth gael ei ffrwyno'n ddiamynedd gan bwy bynnag oedd yn ei farchogaeth.

"Mae e ar frys, pwy bynnag yw e," meddai'r Ficer, "mae e'n fachgen dewr yn mentro allan ar y fath noswaith."

Yna clywsant guro uchel ar ddrws mawr y Plas, wedyn clywsant ddrws y gegin yn agor a sŵn traed un o'r morynion yn mynd ar hyd y coridor.

Cododd Watcyn Parri o'i gadair a chydio yn y botel ddu, foliog oddi ar y bwrdd a mynd â hi at gwpwrdd bach yn ymyl y tân. Agorodd ddrôr a rhoi'r botel i mewn yn hwnnw.

Agorodd drws yr ystafell a daeth geneth ifanc â chapan gwyn ar ei phen i'r golwg.

"Rhywun o'r Cei Newydd i'ch gweld chi, syr," meddai.

"Pwy yw e, Nel?" gofynnodd yr hen ŵr bonheddig.

"Mae e'n dweud mai Wil Probert yw 'i enw fe a bod gydag e newyddion . . ."

"Wil Probert, mab Ned Probert, Tafarn y 'Gloch' Cei Newydd!" meddai'r hen ŵr. "Dewch ag e mewn ar unwaith, Nel fach."

Diflannodd y forwyn, a chyn bo hir fe ddaeth yn ôl â dyn ifanc bochgoch a hwnnw'n sgleinio gan y glaw a oedd wedi disgyn arno. Roedd diferion yn dripian oddi arno ar lawr derw gloyw'r ystafell ginio.

"Mr Parri, syr," meddai'r dieithryn, "mae 'nhad wedi'n anfon i . . . i ddweud wrthoch chi . . . fod newyddion wedi dod prynhawn 'ma i'r Cei . . . gyda Capten Pritchard yr 'Ocean Belle' . . ."

Tawodd y negesydd o'r Cei wrth weld yr olwg ryfedd ar wyneb yr hen ŵr. Roedd e wedi gwelwi ac fe losgai ei lygaid yn ei ben.

"Y 'Betsi', Wil Probert?" gofynnodd â'i lais yn crynu.

"Ie, syr, mae'n ddrwg gen i . . . roedd Capten Pritchard

yn dweud . . . 'i bod hi wedi suddo *with all hands* off Newffownlan' . . ."

Caeodd yr hen ŵr bonheddig ei lygaid a byddai wedi syrthio i'r llawr mewn llewyg oni bai i Harri gydio ynddo. Gyda chymorth yr offeiriad gosodwyd ef i eistedd yn ei gadair. Ond daeth gŵr y Plas ato'i hunan mewn munud.

"Nawr dyna hi ar ben arnon ni," meddai. "Colli dwy long o fewn blwyddyn! Yr oedd hi'n ergyd drom iawn inni golli'r 'Nansi' pan oedd hi'n dod adre rownd yr 'Horn'. Roedd naw o fechgyn Cwmtydu, Llangrannog a'r Cei ar honno. Ond roedd pymtheg o fechgyn gore'r ardaloedd 'ma ar y 'Betsi'! Fe fydd gofid mawr iawn yn y pentrefi 'ma pan ddôn nhw i wybod."

Ysgydwodd y Ficer ei ben gan edrych yn syn ar ŵr y Plas. Fe wyddai ef yn iawn fod perchen y Glasgoed wedi colli ei gyfan bron gyda suddo'r 'Betsi', yn enwedig ar ôl colli ei long arall—y 'Nansi'—naw mis ynghynt. Ond dyma fe'n gofidio'n unig am anwyliaid y morwyr a oedd wedi mynd i lawr gyda'r llong!

Yna roedd yr hen ŵr yn siarad eto, a'i lais yn gryfach erbyn hyn.

"Diolch i ti, Wil Probert, 'machgen i, am ddod 'ma ar noson mor stormus. Nel, ewch ag e i'r gegin a gofalwch 'i fod e'n cael pryd o fwyd cyn troi'n ôl am y Cei . . . fydda i ddim yn anghofio . . . am y gymwynas . . . dwed wrth dy dad . . ."

Roedd hi'n amlwg ei fod dan deimlad dwys iawn ac roedd y geiriau'n gwrthod dod. Teimlodd y gŵr ifanc o'r Cei lwmp yn ei wddf wrth wylio'r hen ŵr yn ceisio bod yn ddewr ar ôl colli ei long werthfawr a'i forwyr.

Yna trodd ar ei sawdl a dilynodd y forwyn allan o'r ystafell. Trodd yn y drws ac meddai, "Mae'n ddrwg gen i, syr, na fuaswn i wedi gallu dod â newyddion da . . ."

Ni allai ddweud rhagor ac aeth allan gan gau'r drws ar ei ôl.

"O, dyna newyddion ofnadwy ontefe?" meddai'r Ficer, "ond dyna fel y mae yn hanes bechgyn y môr erioed, gwaetha'r modd; mae'n frwydr barhaus rhyngddyn nhw a'r tonnau, ac yn rhy amal o lawer mae 'u llonge bach nhw'n rhy fregus i ddal y stormydd. Ond eich colled chi, Watcyn Parri! Mae wedi bod yn un drom iawn, rwy'n gwybod ..."

"Mae'n drymach nag a wyddoch chi, Ficer. Y gwir yw ... fe fu rhaid i fi fenthyca tair mil o bunnoedd i rigio'r 'Betsi' a rhoi cargo arni. Pe bai hi wedi llwyddo i gyrraedd pen 'i thaith, gwerthu 'i chargo a dod adre'n ôl, fe allwn i fod wedi clirio'r ddyled. Ond nawr ... wn i ddim ... beth sy'n mynd i ddigwydd i ni ..."

"Watcyn Parri, rhaid i chi beidio â gwangalonni felna ... Dwy'i erioed wedi'ch gweld chi'n brin o ffydd, syr. Fe ddaw rhyw oleuni eto."

"Gan bwy y cawsoch chi fenthyg tair mil o bunnoedd, Nhad?" gofynnodd Harri.

"Gan Daniel Coleby o'r Cei."

"Gan Daniel Coleby! Ond Nhad! Yr hen Iddew o ddyn calon-galed 'na?"

"Sais yw Coleby, Harri, nid Iddew ..."

"Ie, fe wn i hynny'n iawn. Ond mae e'n debyg iawn i'r Iddew 'na yn y chware gan Wil Shakespeare."

Ysgydwodd yr hen ŵr ei ben. Doedd e erioed wedi gweld 'chware' Wil Shakespeare.

"Ond sut y llwyddoch chi i gael benthyg cymaint â hynna gan Coleby, Mr Parri?" gofynnodd y Ficer, wedyn. "Rown i'n deall 'i fod e'n ddyn gofalus iawn, yn gofyn mechnïon diogel bob tro ..."

"Y lle 'ma oedd y fechnïeth, Ficer."

"Nhad! Plas y Glasgoed? Dŷch chi ddim yn dweud ...?"

Cododd yr hen ŵr ei law. "Ydw, Harri, 'machgen i. Mae gen i naw mis i ddod o hyd i dair mil o bunnoedd—tair mil a hanner a chyfri'r llog—neu fe fydd Plas y Glasgoed sy wedi bod yn ein teulu ni ers dyddie Harri Tudur, yn mynd i ddwylo Daniel Coleby . . . mae'n ddrwg gen i . . . ond wyddwn i ddim beth arall i neud. Mae ein teulu ni ers canrifoedd wedi byw ar fasnachu yn y gwledydd pell. Fe adeiladodd fy nhad bum sgwner fawr . . . a dyma ninne wedi colli'r olaf ohonyn nhw—y 'Betsi'!"

"Fe adeiladwn ni long newydd yn Llangrannog. Rŷch chi wedi bod yn sôn am hynny ers tro," meddai Harri.

"Na, na, Harri, dwyt ti ddim yn deall. Does gen i ddim byd bellach i dalu'r seiri am weithio arni, a does gen i ddim modd i brynu coed . . . a hyd yn oed pe bai hi'n cael 'i gorffen, fydde gen i ddim byd—dim ceiniog goch i brynu cargo . . . Mae wedi mynd nawr . . . does dim modd codi arian . . . mae'r amseroedd mor wael . . ."

Yr oedd môr o anobaith yn llais yr hen ŵr. Cododd yn sigledig o'i gadair.

"Wel, rwy'n meddwl yr a' i i 'ngwely nawr, bobol, rwy'i wedi blino. Tyn raff y gloch wnei di, Harri?"

Cyn bo hir daeth y forwyn fach—Nel—i mewn.

"Wnei di oleuo'n stafell i, 'merch i? Rwy'i am fynd i'r gwely."

Roedd deigryn mawr yn sgleinio yn llygad y forwyn fach wrth fynd allan i mofyn y canhwyllau.

* * *

Bu unig fab y Glasgoed a'r Ficer yn eistedd yn hir wrth y tân ar ôl i'r hen ŵr bonheddig fynd i'w wely. Â'u pennau'n glos at ei gilydd bu'r ddau'n trafod y drychineb o golli'r 'Betsi' a'i effaith ar ardal gyfan—ac yn enwedig ar deulu'r Glasgoed.

13

"Chaiff yr hen gybydd cyfrwys 'na o'r Cei ddim mo'i grafangau ar y Glasgoed, Ficer, ddim tra bo anadl yn 'y nghorff i!"

Roedd llais Harri Parri'n llawn dicter a chwerwder. Plygodd ei ben cyrliog a rhoi ei ddwy law am ei wyneb yn sydyn, fel petai meddwl am y peth yn ormod iddo. Ni ddywedodd y Ficer air am foment, dim ond edrych i lawr yn drist ar y tân, a oedd yn dechrau darfod erbyn hyn. Meddyliai am yr hen ŵr caredig ar y llofft a oedd wedi cael newyddion y noson honno a allai'n hawdd dorri ei galon. Meddyliodd wedyn am y bobl fach yn y cwm islaw a oedd erioed wedi edrych i gyfeiriad plas y Glasgoed pan fyddai'n galed arnynt. A gwyddai na fu rhaid i'r un ohonynt droi'n ofer at berchennog y Plas un waith. Mewn angen, mewn afiechyd, byddent yn mynd ato ef, gan wybod y byddai'n gwneud ei orau glas drostynt. Beth a ddigwyddai i'r tlodion yn ei blwyf pe bai rhywun fel Daniel Coleby yn cymryd meddiant o'r Plas? O, fe allai ddychmygu sut le fyddai yng Nghwmtydu pe bai'r cybydd calon-galed hwnnw'n cymryd lle'r teulu parchus a oedd wedi byw yn y Glasgoed ers canrifoedd!

Er mai ef oedd Ficer y plwy, meddyliodd John Dafis wrtho'i hun fod yr hen Watcyn Parri'r Glasgoed yn fwy o Gristion a sant nag ef o lawer iawn. Pam yr oedd ffawd wedi delio mor greulon â dyn mor dda a charedig? On'd oedd ffordd Rhagluniaeth yn rhyfedd weithiau? Pam na fyddai'r cybydd, Daniel Coleby'n cael ei gosbi am ei drachwant, a gŵr y Glasgoed yn cael ei wobr am ei weithredoedd da? Beth allai ef, Ficer y plwy, ei wneud yn awr i helpu ei gyfaill a oedd mewn trybini? Ai mynd i'r pulpud ar y Sul i draddodi ei bregeth sychlyd a chynnal gwasanaeth yn yr eglwys fach, lwyd ar ben y rhiw oedd ei unig waith—ei unig ddyletswydd?

Daeth cnoc ar y drws. Pan agorwyd ef gwelsant y forwyn fach â'r cap gwyn unwaith eto.

"Mae e'n gofyn a ewch chi lan eich dau; mae e am ddweud rhywbeth wrthoch chi."

Edrychodd y 'Tifedd a'r Ficer ar ei gilydd. Yr un ofn a oedd ym meddwl y ddau—ofn fod yr hen ŵr yn wael . . .

Dilynodd y ddau'r eneth i fyny'r grisiau mawr i'r llofft. Gorweddai'r gŵr bonheddig yn ei wely â gobennydd uchel o dan ei ben. Yr oedd yr wyneb a'r gwallt cyn wynned â'r gobennydd.

"Nhad! Ydych chi'n iawn?" Roedd llais y 'Tifedd yn llawn pryder. Gwenodd yr hen ŵr bonheddig yn dyner arno.

"Maddeuwch i fi am eich galw chi fel hyn eich dau . . . ond rwy'i wedi bod yn meddwl . . ." Caeodd ei lygaid am foment. Yna agorodd hwy eto.

"Rhaid i ni geisio gwneud *rhywbeth*, wyddoch chi. Gynnau, pan ddaeth y newydd, rwy'n ofni 'mod i wedi colli gobaith yn llwyr . . . ond mae hynny'n bechod . . . does gyda ni ddim hawl . . . rhaid i ni gadw ein ffydd— dyna ddwetsoch chi ontefe, Ficer?"

"Ydych chi wedi meddwl am ryw gynllun, syr?" gofynnodd y Ficer, gan eistedd wrth ymyl y gwely.

Ysgydwodd yr hen ŵr ei ben. "Naddo, ond rwy'i wedi bod yn meddwl sut y bydd hi ar bobol Cwmtydu ar ôl i Coleby gymryd drosodd . . ."

"A finne hefyd, syr!"

"Fydd e ddim yn deall 'u ffordd nhw . . . fydd gydag e ddim amynedd . . . Fe fydd e'n hawlio'r rhent yn 'i bryd . . . ac fe fydd e'n rhoi stop ar y smyglo a'r potsian . . . fedran nhw ddim cael dau ben llinyn ynghyd *nawr* . . ."

Ysgydwodd y Ficer ei ben gyda hanner gwên. Dyma'r tro cyntaf iddo glywed yr hen ŵr bonheddig yn cyfaddef ei fod yn gwybod am y smyglo oedd yn mynd ymlaen yng

Nghwmtydu! Wrth gwrs, roedd Watcyn Parri ac yntau wedi cymryd aml i lasied bach o'r brandi contraband gyda'i gilydd wrth y tân yn y Glasgoed yn y gorffennol, ond doedd e erioed wedi *dweud* mai bechgyn Cwmtydu oedd yn torri'r gyfraith wrth ddod â'r licer o Ffrainc heb dalu treth am ei fewnforio.

"Harri," meddai'r hen ŵr wedyn, "fe fydd rhaid i ti fynd i Lunden . . ."

Unwaith eto agorodd y Ficer ei lygaid mewn syndod. Harri'n mynd i Lunden! Nid oedd ond tri mis er pan ddaethai Harri adre o Lunden—ar ôl bod yno am yn agos i ddwy flynedd yn byw'n fras ac yn ddigon ofer ar arian ei dad—arian y byddai'n dda i'r hen ŵr bonheddig wrthynt yn awr ar ôl colli ei long ar y môr. Cofiodd John Dafis fel yr oedd yr hen ŵr wedi bod yn gofidio am ei fab ac yn dyheu am gael yn ôl gartre o ganol drygioni'r Brifddinas. A dyma fe nawr yn dweud fod rhaid iddo fynd yn ôl i Lunden!

"Rhaid i ti fynd ar unwaith i geisio codi arian. Mae dy Fodryb Cathrin . . ."

"Dwy'i ddim yn credu y bydd hi na'i gŵr yn gallu helpu, Nhad . . ."

Roedd chwaer Watcyn Parri wedi mynd i Lunden yn ferch ifanc ac wedi priodi dyn busnes cefnog o'r enw James Tibbett. Ond fe wyddai Harri mai dyn gofalus, tynn oedd ei ewyrth. Yn wir, roedd ef ei hunan wedi ceisio benthyca arian oddi wrtho unwaith, pan oedd wedi colli mwy nag a ddylai wrth chware cardiau un noson yn y Brifddinas.

Cododd yr hen ŵr ar ei eistedd.

"Harri," meddai, "pwy sy'n brin o ffydd nawr? Rhaid i ni beidio â gadael un garreg heb 'i throi yn ein hymdrech i gadw'r Glasgoed. Mae'n ddyletswydd arnon ni. Mae gyda ni lawer o ffrindie da yn Llunden, hyd yn oed os bydd James a Cathrin yn gwrthod. Dyna'r hen Dafydd Wiliam o'r Cei, mae e'n ddyn pwysig yn Llunden nawr—yn berchen nifer o longau mawr. Rwy'n cofio i fi 'i helpu e pan oedd e'n dechre'i fyd . . ."

'Ffrindie tywydd teg!' meddyliodd Harri er na ddywedodd air yn uchel. Fe deimlai'n siŵr nad oedd modd codi tair mil a hanner o bunnoedd yn Llunden. Dynion caled—yn fwy parod i wneud arian nag i roi eu benthyg—oedd yn byw yn y Brifddinas. Ond ni allai ddweud hynny wrth ei dad y funud honno.

"Fe ei di, Harri? Er 'y mwyn i?"

"Wrth gwrs, Nhad. Fe af fi bore fory."

Cydiodd yr hen ŵr yn ei law. "Rhwydd hynt i ti, 'machgen i, a brysia'n ôl aton ni."

Am foment edrychodd y tad a'r mab i lygaid ei gilydd. Gwyddai'r Ficer, a oedd yn gwylio, fod yr hen ŵr bonheddig yn cofio'r hir ddisgwyl a fu am yr Etifedd y tro diwethaf yr aeth i ffwrdd i Lundain. Roedd y Ficer yn nabod Harri Parri'r Glasgoed yn dda. Yr oedd yn ŵr ifanc, hoffus iawn, yn gwmnïwr da ac yn ddigon parod â'i gymwynas bob amser. Ond un gwyllt oedd e—yn hoffi bywyd bras y Brifddinas a chwmni gwŷr bonheddig ifainc o'i oed. Ac roedd e'n hoff iawn o gamblo. A oedd hi'n ddoeth i anfon yr Etifedd i ffwrdd i Lundain eto?

Ysgydwodd y Ficer ei ben. Nid oedd unig fab Watcyn Parri wedi gwneud fawr ddim i blesio'i dad erioed. Cofiodd yn awr pam roedd Harri wedi gadael y Glasgoed am Lundain. Roedd yr hen ŵr bonheddig wedi rhoi ei fryd ar weld Harri'n priodi Lowri Rhydclomennod, unig ferch y Cyrnol Price, ei hen gyfaill. Roedd Plas Rhydclomennod gerllaw Llangrannog ac roedd y Cyrnol yn ŵr cyfoethog iawn. Pe bai Harri wedi cytuno, meddyliodd y Ficer, nid tair mil a hanner, na phum mil chwaith, fyddai'n dod i'r Glasgoed gyda hi—byddai'n nes i ddeng mil! Ond roedd Harri wedi gwrthod ac wedi cweryla â'i dad, a ffoi i Lundain.

Pennod 2

Cymerodd y daith hir i'r Brifddinas yn agos i bum diwrnod i Harri Parri'r Glasgoed. Roedd y tywydd wedi troi'n wlyb a'r ffyrdd mewn cyflwr difrifol. Ond o'r diwedd roedd strydoedd celyd y Brifddinas o dan draed ei geffyl a'r tai cyfeillgar o'i gwmpas ym mhobman. Daeth yr hen aroglau cyfarwydd i'w ffroenau, a theimlai rywsut ei fod wedi dod adre. Roedd llofftydd y tai uwch ei ben fel pe baent yn closio i estyn croeso'n ôl iddo. O'i gwmpas ym mhobman yr oedd prysurdeb a sŵn lleisiau uchel, a'r ffyrdd yn llawn ceirt, gwagenni a cherbydau, heb sôn am wŷr, gwragedd a phlant ar draed ac ar gefn ceffylau.

Roedd hi'n dechrau nosi pan ddaeth o'r diwedd i Fenchurch Street lle roedd tŷ mawr ei Ewyrth James a'i Fodryb Cathrin. Safai'r tŷ ar ei ben ei hun â wal uchel o'i gwmpas. Disgynnodd oddi ar gefn ei geffyl lleidiog a blinedig a churodd ar y drws. Daeth morwyn ganol oed i'w agor. Adnabu Harri hyd yn oed yn yr hanner-tywyllwch.

"Mr Parri, syr," meddai, gan fowio iddo. Dilynodd Harri hi i mewn i'r tŷ. Roedd arwyddion cyfoeth y masnachwr James Tibbett ym mhobman—lluniau costus ar y welydd, dodrefn prydferth o gwmpas y lle i gyd a llestri'n sgleinio ar fyrddau ac ar silffoedd.

"Fe af fi i ddweud eich bod chi yma, Mr Parri," meddai'r forwyn, gan fowio wrth fynd allan. Gwenodd Harri wrth feddwl am forynion y Glasgoed—go anaml y bydden nhw'n cow-towio i neb! Ond nid oeddynt yn llai eu parch tuag ato ef a'i dad serch hynny.

Agorodd y drws a daeth ei Fodryb Cathrin i mewn.

"Harri! Wel, wel! Chawson ni ddim gwbod dim dy fod ti ar y ffordd. Ond croeso i ti'r un fath."

Aeth ati a'i chusanu ar ei boch.

"Dy ddillad di, Harri! Maen nhw'n llaid i gyd!"

Gwenodd Harri ar ei fodryb. Dyna hi yn ei chyfer, meddyliodd—gwisg oedd y peth holl-bwysig ganddi hi bob amser—gwisgo'n fonheddig ac yn y ffasiwn at bob achlysur. Ond un felly oedd yntau hefyd, meddyliodd wedyn.

"A! Mae'r ffyrdd yn ofnadw, Modryb Cathrin, 'choeliech chi byth!"

"Wel, fe gawn ni weld beth i' neud â ti yn y funud. Rwy'n disgwyl James adre i swper. Fe gawn ni swpera gyda'n gilydd. Wel, pa newyddion o Gymru—ydy Watcyn yn iawn?"

Nid atebodd Harri Parri ar unwaith, gan na wyddai'n iawn sut i dorri'r newyddion drwg a oedd ganddo.

"Harri! Does dim byd wedi digwydd oes e? Dyw e ddim . . ."

"Na, mae e'n fyw, ac yn weddol iach, Modryb Cathrin, ond . . ."

"Wel?"

"Mae'r 'Betsi' wedi suddo."

"O? Mae'n ddrwg gen i! Ond dyw hynny ddim yn ddiwedd y byd, Harri. Mae dy dad wedi colli llongau cyn hyn . . ."

"Do, ond roedd e wedi clymu stâd y Glasgoed wrth y 'Betsi' a'i chargo. Wedi benthyca arian gan Daniel Coleby o'r Cei. Fe fydd hwnnw'n hawlio'r stâd a'r cyfan cyn pen blwyddyn."

Eisteddodd Cathrin Tibbett ar soffa yn ymyl y tân.

"Wel! Wel! Dyma beth yw newyddion drwg. Y Glasgoed! Dy etifeddieth di yw'r Glasgoed, Harri! Sut buodd dy dad mor ffôl? Fydd gyda ti ddim os aiff y Glasgoed i ddwylo'r dyn Coleby 'ma!"

"Dwy'i ddim yn gofidio cymaint amdana i'n hunan ar y foment, Modryb Cathrin. Am Nhad rwy'n gofidio—fe fydd yn ddigon i dorri'i galon e os bydd rhaid gadel y Glasgoed."

"Bydd." Am foment pwysodd Cathrin Tibbett yn ôl ar y soffa a daeth golwg freuddwydiol, atgofus dros ei hwyneb. Cofiodd am ddyddiau ei phlentyndod hithau yn yr hen blasty annwyl uwchben y môr yn sir Aberteifi. Cofiodd yr hafau tesog a'r gaeafau gwyntog stormus—ond haf neu aeaf—roedd bywyd bob amser yn ddedwydd yn y Glasgoed.

"Rwyt ti wedi dod i . . . ofyn i James . . . am fenthyg arian i achub y Glasgoed, Harri? Doedd hi ddim yn edrych arno wrth ofyn.

"Ydw. Ar gais Nhad. *Fe* ddwedodd—ofynnodd i fi ddod, Modryb Cathrin."

Ysgydwodd ei fodryb ei phen.

"Mae'r amsere'n wael, Harri, a dwy i ddim yn gweld James yn bodloni . . ."

"Pe bydde fe'n addo *rhan* o'r hyn sy'n ddyledus," meddai Harri.

"Faint yw'r cyfan?"

"Tair mil a hanner."

"Cymaint â hynny! Wrth gwrs, dyw tair mil a hanner ddim yn swm mawr i rai pobl rwy'n nabod yn y Brifddinas 'ma. Mae rhai o fechgyn y Gwŷr Mawr yn gwario cymaint â hynna mewn wythnos wrth chware cardie."

Gwridodd Harri wrth gofio ei fod yntau yn ystod y ddwy flynedd a dreuliodd yn Llundain wedi gwario symiau go fawr wrth yr un chware ofer.

"Wrth gwrs, fe fydd rhaid *gofyn* i James, Harri. Wyt ti'n mynd i wneud, neu wyt ti am i fi ofyn?"

"Fe fydde'n dda gen i pe baech chi'n gofyn, Modryb Cathrin."

"Fe wna i—amser swper heno. Ond cofia, dwy'i ddim yn meddwl fod llawer o obaith. Nawr, rhaid i ni geisio gwneud i ti edrych ychydig bach yn llai tebyg i borthmon."

* * *

Nid oedd James Tibbett yn ymddangos yn falch iawn o weld ei nai o sir Aberteifi, ac ar swper y noson honno roedd tipyn o straen ar y siarad o gwmpas y bwrdd.

"Wyt ti wedi dod ar fusnes neu ar daith bleser, Harri?" gofynnodd, pan oedd y cinio hanner ffordd trwodd.

"Y . . . ar fusnes . . . a dweud y gwir."

"O? Mae'n dda gen i glywed, fachgen. Mae'n warthus fel y mae rhai o feibion y Gwŷr Mawr yn gwastraffu amser ac arian yn Llunden 'ma'r dyddie hyn."

"Mae e wedi dod â newyddion drwg i ni, James—mae Watcyn 'y mrawd wedi colli llong."

"Un arall? Gwarchod pawb! Mae'n ddrwg iawn gen i glywed, Harri. Y 'Betsi'?"

"Ie, dyna'r unig un oedd ar ôl nawr."

"O dier! Wyddost ti dyw masnachu ar y môr ddim fel y buodd e. Fe fuodd amser pan allech chi neud eich ffortiwn ar un fordaith. Ond mae'r amser 'na wedi mynd, Harri. Peth arall, mae dy dad wedi mynd yn rhy hen i redeg unrhyw fath o fusnes erbyn hyn."

Edrychodd Cathrin Tibbett a Harri ar ei gilydd. Nawr oedd yr amser i dorri'r garw.

"Mae pethe'n waeth nag ŷch chi'n feddwl, James," meddai Cathrin, ac aeth ymlaen i ddweud yr holl hanes wrth ei gŵr—am ddyledion ei brawd ac am y morgais ar y

21

stâd—a fyddai'n mynd i ddwylo Daniel Coleby o'r Cei os na ellid codi'r arian mewn pryd i dalu'r ddyled.

Gwgodd y masnachwr ar ei wraig. Yr oedd yn amlwg ei fod yn gwybod yn dda beth oedd yn dod nesaf.

"Mae Harri wedi dod ar gais Watcyn 'y mrawd i ofyn a fedrwch chi helpu, James." Roedd Cathrin yn gwrido nawr wrth edrych i lygaid ei gŵr. Gwyddai'n barod, wrth yr olwg ar ei wyneb, beth fyddai ei ateb.

Pesychodd James Tibbett yn sychlyd.

"Tair mil a hanner, Cathrin! Ydych chi'n awgrymu 'mod i'n talu'r swm yna i'r dyn—beth yw 'i enw fe—Coleby?"

"Ie," meddai Harri.

Chwarddodd James Tibbett dipyn yn wawdlyd.

"Er eich mwyn chi, Cathrin, fe garwn i allu dweud 'O'r gore, dyma nhw i chi'. Ond mae'r rhan fwyaf o'n arian i ynghlwm wrth y busnes. Fedra i ddim codi tair mil a hanner ar amrantiad felna. Ond hyd yn oed pe bawn i yn medru gwneud hynny y funud 'ma, dwy'i ddim yn meddwl y byddwn i'n barod i' rhoi nhw i achub tipyn o stâd yn sir Aberteifi, sy'n methu talu'r ffordd."

Ymsythodd ei wraig yn ei chadair. "Mae'r Glasgoed wedi bod yn gartre i'n teulu ni am ganrifoedd, James, ac fel y gwyddoch chi, yn y Glasgoed y ces i 'ngeni a'm magu. Nid peth bach i fi fydd gweld y stâd a'r cyfan yn mynd i ddwylo dynion dierth. A phwy sy'n dweud nad yw'r stâd ddim yn talu'r ffordd? Mae 'mrawd wedi'i gael 'i hun yn y sefyllfa 'ma am fod y 'Betsi' wedi suddo—anlwc!"

Ysgydwodd James Tibbett ei ben.

"Na, Cathrin, fe wyddoch chi'n iawn nad yw stâd y Glasgoed ddim wedi bod yn talu'r ffordd ers blynyddoedd. Pe bydde hi, fydde dim rhaid i'ch brawd fenthyca arian i rigio, a rhoi cargo ar y 'Betsi'. Rŷch chi wedi bod yn dweud fod eich brawd yn ddyn mor garedig fel nad yw e ddim wedi codi rhenti'r ffermydd ar y stâd, a'i fod e'n gadael pobl y tai bach yn rhydd heb dalu rhent o gwbwl, am fod yr amserau'n galed. Wel, mae'n amser caled arno *fe* nawr; a hyd yn oed pe bai rhywun yn ddigon ffôl i roi benthyg tair mil a hanner i setlo'r ddyled 'ma—fydde dim siawns y galle'ch brawd 'u talu nhw'n ôl byth! Rwy'n ofni mai mynd i ragor o ddyled fydde fe."

Yna edrychodd yn fwy caredig ar ei wraig.

"Gwrandewch nawr, Cathrin—a thithe, Harri. Cymerwch gyngor gen i'ch dau—gadewch i'r Glasgoed fynd."

"*Dim byth,*" meddai Harri'n ffyrnig.

"Na, na—gwrandewch nawr. Mae stâd y Glasgoed wedi mynd yn faen melin am wddf dy dad, Harri. O, fe wn i fod eich teulu bonheddig chi wedi bod yn byw ar y darn daear 'na yn sir Aberteifi ers canrifoedd, ond mae'r Glasgoed yn fethiant, bobol! Mae e'n mynd â chi i ddyled dros eich penne. Nawr, Cathrin, rwy'n mynd i awgrymu ffordd allan ohoni fel hyn. Rhaid i ni gael eich brawd yma i fyw gyda ni. Fe gaiff e dreulio'i hen ddyddie yn y tŷ 'ma â chroeso. Na, pediwich torri ar fy nhraws i nes bydda i wedi gorffen, Cathrin . . . ac fe gei di, Harri, ddod i mewn i'r fusnes gyda fi. Gan fod Cathrin a finne'n ddi-blant, rwy'n disgwl mai ti fydd yn cael y busnes ar ôl fy nydd i beth bynnag. Fe gaiff yr hen ŵr—dy dad—bob gofal yma, ac mae gydag e lawer o hen gyfeillion yn Llunden 'ma— rwy'n siŵr y bydd e'n hapus iawn gyda ni. Beth ŷch chi'n ddweud eich dau?"

Edrychodd Cathrin Tibbett ar Harri. Fe wyddai yn ei chalon fod ei gŵr wedi awgrymu cael ei brawd i Lundain i fyw gyda nhw, a chael Harri i mewn i'r busnes, rhag iddo ef orfod ymadael â dim o'i arian. Eto i gyd roedd yr hyn a awgrymai yn gwneud 'sens' yn sicr. Yr *oedd* e'n syniad da i gael yr hen Watcyn i'r Brifddinas iddi hi gael edrych ar ei ôl yn ei hen ddyddiau. Ac, wrth gwrs, yr oedd yr hyn a ddywedai am stâd y Glasgoed yn iawn. Doedd yr hen le *ddim* yn talu, nac yn debyg o dalu.

Ond gwyddai wrth yr olwg ar wyneb Harri nad oedd awgrymiadau ei gŵr ddim wrth ei fodd ef. Roedd e wedi troi i edrych yn wyneb ei ewyrth.

"Rwy'n ddiolchgar i chi, syr," meddai, "rŷch chi'n garedig iawn, ond rwy'n ofni nad ŷch chi ddim yn deall."

"Ddim yn deall?"

"Ie, syr. Ŷch chi'n gweld, mae 'na fwy na ni—nhad a finne—yn dibynnu ar y Glasgoed. Mae'r bobol ar y ffermydd a phobol 'tai bach' lawr yng Nghwmtydu. Mae'r Glasgoed yn ffordd o fyw i'r rheina i gyd, ac mae Nhad fel rhyw fath o dduw gyda nhw."

"Ond mae dy dad yn hen, Harri, all e ddim bod gyda nhw am byth!"

"Na. Ond maen nhw'n disgwyl y bydda i'n cario mla'n ar 'i ôl e . . ."

Stopiodd Harri. Roedd hi'n amlwg nad oedd ei ewyrth yn deall yr hyn roedd e'n ceisio ddweud.

Cododd James Tibbett ar ei draed. "Ba!" meddai, "rwy'n ofni na wnei di ddim dyn busnes byth, Harri. Rwyt ti'n greadur rhy sentimental. Ond rhaid i fi ddweud—*dyna 'ngair ola i ar y mater*—mae croeso i ti a Watcyn dy dad yma gyda ni—ond cyn belled ag y mae'r tair mil a hanner yn y cwestiwn, dwy'i ddim yn barod i siarad rhagor am y peth. A nawr, os maddeuwch chi i fi, mae gen i nifer o lythyron y mae'n rhaid i fi eu sgrifennu . . ."

Aeth allan o'r ystafell gan fowio'n foesgar i'w wraig.

Ar ôl i'r drws gau dywedodd Cathrin wrth ei nai.

"Dyna hi ar ben rwy'n ofni, Harri. Wyt ti ddim yn meddwl y bydde hi'n dda i ti a dy dad dderbyn gwahoddiad James? Fe fydde'n gyfle da i ti . . ."

"Na, Modryb Cathrin."

"Beth wnei di nawr?"

"Does dim i'w wneud, ond mynd adre. Fe alla i fynd i weld un neu ddau o hen ffrindie Nhad fory, ond dwy'i ddim yn meddwl y bydda i ddim gwell."

"Mae gen i ganpunt . . ."

"Ond, Modryb Cathrin!"

"Na, rwy'i am i ti 'u cael nhw. Fe fydd angen pob dime goch arnoch chi nawr."

Aeth allan o'r stafell a daeth yn ôl cyn bo hir â waled ledr yn ei llaw. Estynnodd hi i Harri.

"Beth wyt ti am wneud nawr—heno rwy'n feddwl?"

"Rwy'n credu'r a' i i'r gwely'n gynnar, Modryb Cathrin. Rwy'i wedi blino tipyn ar ôl y siwrne."

Roedd tân wedi ei gynnau yn ei ystafell wely a'r llenni wedi eu tynnu dros y ffenest. Tynnodd hwy'n ôl, a bu'n edrych allan am dipyn ar oleuadau'r Brifddinas. Fan draw gallai weld dŵr afon Tafwys yn sgleinio wrth lifo tua'r môr. Agorodd y ffenest fymryn a daeth sŵn mynd a dod prysur y ddinas fawr i'w glustiau—sŵn traed ac olwynion —sŵn chwerthin. Caeodd y ffenest a thynnu ei wats o boced ei wasgod. Hanner awr wedi wyth! Ai dyna i gyd oedd hi? Roedd hi'n gynnar iawn yn Llundain eto! Pam roedd e wedi dweud wrth ei fodryb ei fod yn mynd i'r gwely? Erbyn hyn fe wyddai na fyddai'n medru cysgu beth bynnag. Cododd ei got fawr o'r gadair a'i gwisgo. Yna aeth i lawr y grisiau. Nid oedd neb o gwmpas. Agorodd y drws a cherdded allan i ganol mwstwr nos y Brifddinas. Roedd e wedi mynd rai cannoedd o lathenni pan gofiodd fod y waled a gawsai gan ei fodryb yn ei boced.

Ond ar waethaf yr holl fynd a dod ar strydoedd y Brifddinas y noson honno, fe ddeallodd Harri Parri'r Glasgoed yn fuan y gall dyn fod yn *unig* mewn lle mor boblog â Llundain hefyd! Doedd neb yn cymryd y sylw lleiaf ohono—neb yn ei nabod.

Rywsut ar ôl cerdded am amser, fe'i cafodd ei hunan tu allan i adeilad a oedd yn gyfarwydd iddo—sef y *Gentlemen's Club* yn yr Haymarket. Safodd o flaen y drysau agored. Fe gâi weld digon o hen ffrindiau yno—pe bai'n mynd i mewn. Ond petrusai serch hynny. Roedd e wedi colli llawer o arian ei dad wrth chware cardiau yn y *Gentlemen's Club*. Teimlodd ei galon yn curo'n gyflymach. Beth pe bai ffortiwn—lwc—o'i blaid y noson honno? Fe allai droi canpunt ei fodryb Cathrin yn filoedd—pe bai ffawd yn gwenu arno! Roedd e wedi gweld miloedd yn cael eu hennill a'u colli yn y lle yma. Cerddodd i mewn.

"HARRI!" Oedd, roedd nifer o'i hen gyfeillion yno, ac yn falch o'i weld.

Edrychodd o'i gwmpas a gweld y byrddau gwyrddion o dan y golau . . . a'r cardiau . . .

Roedd Catesby yno, a Belmont a Carrington, hen ffrindiau o'r dyddiau gynt, a meibion rhai o wŷr bonheddig mwyaf cyfoethog Lloegr. Galwodd Catesby am botel arall o win, a chyn bo hir roedden nhw'n eistedd o gwmpas y bwrdd a'r cardiau bach yn cael eu dosbarthu.

Ddwy awr yn ddiweddarach roedd y waled a gawsai Harri gan ei Fodryb Cathrin yn wag.

Aeth Etifedd y Glasgoed ddim yn ôl i'r tŷ mawr yn Fenchurch Street y noson honno—na thrannoeth chwaith.

Pennod 3

Aeth wythnos heibio. Erbyn hynny roedd pobl y tai bach i lawr ar lan y môr yng Nghwmtydu ac yn Llangrannog, i gyd wedi clywed am golli'r 'Betsi'—llong olaf Sgweier y Glasgoed. Roedd y newydd wedi mynd ar led hefyd, rywsut, fod yr hen ŵr bonheddig wedi benthyca miloedd o bunnoedd oddi wrth Daniel Coleby o'r Cei, ac y byddai'n colli'r Glasgoed a'r stâd i gyd os na allai dalu ei ddyledion ymhen llai na blwyddyn.

Nid oedd yr un enaid byw ym mhentre bach Cwmtydu nad oedd yn barod i wneud unrhyw beth i helpu Watcyn Parri'r Glasgoed. Byddai'r rhan fwyaf yn fodlon mynd i garchar drosto, a byddai rhai, yn wir, yn fodlon marw drosto. Ond gwyddent mai angen *arian* oedd ar ŵr bonheddig y Plas yn awr, ac nid oedd dim arian gan bobl dlawd y cwm.

Nid oedd neb wedi dychmygu erioed y gallai gŵr bonheddig y Glasgoed fod yn brin o arian! Roedd y peth yn anhygoel. Meddylient am Watcyn Parri fel rhyw goeden fawr, gref y gallent redeg i gysgodi odani pan fyddai'n storom arnynt. Ond yn awr roedd y goeden ar fin cwympo.

Yn nhafarn Glandon, yn ymyl yr hen odyn galch, unig destun y siarad oedd yr hyn oedd wedi digwydd i'r 'Betsi' a'r hyn a oedd yn debyg o ddigwydd i deulu Plas y Glasgoed.

Fe gedwid tafarn Glandon yn y dyddiau hynny gan ddynes ddiddorol iawn, a elwid gan bawb yn 'Mari Fforin.' Nid Cymraes oedd Mari, ond Llydawes—wedi ei bedyddio yn 'Marie', ac wedi ei geni yn nhre Morlaix yn Llydaw. A dyna egluro pam y galwai pobl Cwmtydu hi yn 'Mari Fforin'! Sut y daeth hi i Gwmtydu? Wel, unwaith, pan oedd hi'n ferch ifanc, olygus, fe aeth i bentre bach glan môr yn Llydaw, o'r enw Roscoff, i dendio hen fodryb iddi a oedd yn sâl yn ei gwely. Ac yno y cwrddodd hi â Ned—morwr, a mab tafarn Glandon, a oedd yn digwydd bod ym mhorthladd Roscoff ar y pryd.

Roedd y ddau wedi syrthio mewn cariad â'i gilydd dros nos, megis, fel y digwydd yn hanes morwyr yn aml, a phan oedd Ned nesaf ym mhorthladd Roscoff, ddeufis yn ddiweddarach, roedd y ddau wedi priodi a dychwelyd gyda'i gilydd i Gwmtydu.

Fel roedd hi'n digwydd, roedd yna 'Fari' arall yn byw drws nesaf i dafarn Glandon—mewn tŷ o'r enw Pentir, ac er mwyn gwahaniaethu rhwng y ddwy, fe feddyliodd rhyw wag am y syniad o'u galw yn 'Mari Fforin' a 'Mari Ffor' hyn'! A dyna'r enwau a lynodd wrthynt am byth wedyn.

Ar ôl i hen wraig ei fam farw, roedd Ned wedi rhoi heibio morio i'r gwledydd pell ac wedi aros gartre i geisio gwneud bywioliaeth trwy gadw'r dafarn a physgota tipyn ym Mae Aberteifi. Ac wrth bysgota un noson ym Mae Aberteifi y collodd Ned ei fywyd. Fe gododd storm sydyn pan oedd ef a chyfaill iddo mewn cwch yn pysgota rhyw ddwy filltir o'r lan. Fe achubwyd ei gyfaill ond fe olchwyd corff Ned i fyny ar y traeth bore trannoeth—yn farw gelain. Erbyn hynny roedd Mari 'Fforin' yn fam i bedwar o blant bach—tri bachgen ac un eneth fach o'r enw Lucille. Fe welodd y wraig o Lydaw galedi mawr wedyn. Nid oedd digon o elw'n dod oddi wrth y dafarn dlawd i'w chadw hi a'i phlant bach rhag eisiau. A dyna pryd y bu hen ŵr bonheddig y Glasgoed yn dda iddi. Lawer gwaith yr anfonodd forynion y Plas â basgedaid o fwyd i Landon pan oedd mwyaf o'i angen, a phan fyddai'n galw weithiau yn y dafarn ni fyddai byth yn ymadael heb wthio darn o arian i'w llaw ar y slei.

Fe fagodd Mari ei phlant rywsut, ac ymhen tipyn roedd ei thri bachgen wedi tyfu'n ddigon mawr i fynd i wreca ac i ddal pysgod, neu i herwhela yn y coed a'r caeau uwchben y pentre. Ond nid anghofiodd Mari byth mo'i dyled i ŵr bonheddig y Plas, a thyngodd lw y byddai'n talu'n ôl iddo pe bai'r cyfle'n dod rywbryd.

Erbyn hyn roedd bechgyn Mari wedi tyfu'n ddynion ifainc, cryfion. Gwaetha'r modd, gan nad oedd ganddynt dad i reoli tipyn arnynt, roedden nhw wedi tyfu'n wyllt, ac roedd sôn amdanynt ymhell ac agos fel bechgyn garw, ymladdgar, a fyddai'n siŵr o greu helynt ble bynnag yr oeddynt.

Roedd Lucille, yr eneth, wedi tyfu'n ferch ifanc, hardd a gosgeiddig dros ben, a deuai llawer o fechgyn ifainc yr ardal i dafarn Glandon oherwydd ei bod hi yno. Yn wir, fe fu amser pan oedd pobl yn sôn fod Etifedd Plas y Glasgoed yn gwario tipyn o'i amser yng nghwmni merch y dafarn. Ond roedd hynny cyn iddo fynd i ffwrdd i Lundain y tro cyntaf, a dywedai rhai mai ei dad oedd wedi anfon yno er mwyn ei wahanu oddi wrth ferch Mari 'Fforin'.

Os oedd Lucille yn denu'r cwsmeriaid i dafarn Glandon, roedd ei bechgyn cwerylgar yn tueddu i'w cadw draw. Ond erbyn hyn roedd ei dau fachgen hynaf i ffwrdd ar y môr yn bur aml, a dim ond Emil, ei bachgen ieuanga oedd ar ôl.

Doedd hi ddim yn syndod efallai i fechgyn Mari 'Fforin' droi'n smyglwyr—roedd eu tlodi a'u menter yn eu denu at y dull anghyfreithlon hwnnw o ennill tipyn o arian. Peth arall, wrth gwrs, roedd gan ei mam gysylltiad â Llydaw ac â Roscoff; a Roscoff oedd prif borthladd y smyglwyr gwin a brandi o Ffrainc. Fel y gellid disgwyl roedd gan feibion Mari 'Fforin' lawer o elynion, yn barod i'w bradychu i'r awdurdodau, ond rywfodd doedd neb wedi llwyddo i gael digon o dystiolaeth yn eu herbyn i'w dwyn o flaen eu gwell. Roedden nhw'n ofalus i beidio â gwneud *gormod*. Tipyn bach yn awr ac eilwaith oedd hi. Ond roedd e'n ddigon i roi enw drwg i Gwmtydu fel cartref y smyglwyr.

Roedd hi'n nos Sadwrn, ac erbyn hyn roedd bysedd yr hen gloc ar wal cegin gefn tafarn Glandon ar un ar ddeg. Roedd pawb o gwsmeriaid y dafarn wedi mynd yn swnllyd tua thre, ac yn awr eisteddai Mari 'Fforin' wrth dân coed, braf—yn gweu. Gyferbyn â hi eisteddai Lucille, hithau hefyd yn gweu'n brysur fel ei mam. Ac wrth y bwrdd eisteddai Emil, ei 'chyw melyn ola' yn trin rhwyd yng ngolau'r gannwyll ar y siôn segur a safai ar ganol y llawr. Am foment edrychodd Mari ar wyneb cul, tywyll ei mab. Un bychan o gorff oedd Emil, tra roedd ei frodyr yn rhai mawr. Ond roedd hwn wedi achosi mwy o drwbwl iddi na'r ddau arall gyda'i gilydd. Roedd y lleill yn wyllt ac yn barod i ymladd, ond pan fyddai wedi ei gynhyrfu, roedd Emil yn gallu bod yn fwy milain na'r un ohonynt. Roedd rhyw falchder yn Emil na fynnai wneud ffrindiau â neb, ac er mai un bychan oedd e, gwyddai pawb nad un i chware ag ef oedd mab ieuanga Mari 'Fforin'. Roedd tipyn o'i thad yn hwn, meddyliodd Mari—tipyn o Papa Benodet. Ffrancwr, nid Llydawr, oedd ef. Cofiai amdano fel dyn hardd, golygus a bonheddig. Ond byddai ei dymer ddrwg yn agos iawn i'r wyneb bob amser. Un o'r De oedd ef—o fro'r gwinllannoedd a'r hafau hir, a byddai'n arfer dweud fod gwaed hen bendefigion Ffrainc yn ei wythiennau ef. Nid oedd hi erioed wedi gallu profi ai gwir neu gelwydd oedd hynny, ond wrth edrych ar wyneb tywyll, delicet Emil, ac yn arbennig ar brydferthwch rhyfeddol ei merch, ni allai lai na chredu fod Papa Benodet yn dweud y gwir. Ond roedd e wedi priodi Llydawes gyffredin—morwyn yn y 'Chateau', cartref Dug Morlaix. Ac O! dyna briodas anhapus fu honno! Un rheswm am hynny oedd tymer wyllt, ystormus ei thad. Ond roedd y briodas wedi bod yn fethiant hefyd am fod Papa Benodet yn mynnu dannod i'w wraig byth a hefyd—ei fod wedi priodi'n 'is na'i stâd'.

Plygodd Mari uwch ben ei gweill bach unwaith eto. Roedd hi a'i merch yn gweu'r lês gwyn, prydferth, oedd mor dderbyniol gan ferched y Gwŷr Mawr—lês costus y gallai merched Ffrainc a Llydaw ei weu yn well na neb. Am foment llithrodd ei meddwl yn ôl i'r gorffennol pell—i Lydaw heulog, a hithau'n ferch ifanc, osgeiddig yn rhodio strydoedd glân Morlaix. Cofiodd am yr eglwysi Catholig â'u ffenestri lliw a'u delwau prydferth o'r Forwyn Fair—ac yn arbennig, o'r Santes Anne—'Anne o Lydaw'. O, hi oedd hoff santes Marie Benodet! Roedd y Forwyn Fair yn perthyn i bawb rywsut, â'i gofal bendithiol am holl blant y byd. Ond roedd y Santes Anne yn perthyn *iddyn nhw*—yn un ohonyn nhw—gyda gofal arbennig am bobl Llydaw. Carai edrych ar wyneb tlws, ifanc y Santes yn nhawelwch yr eglwys. Unwaith arhosodd am dair awr gyfan heb wneud dim ond edrych arni hi—a chael rhywbeth newydd yn ei hwyneb o hyd. Cofiodd i rywun ddweud wrthi rywbryd mai Iddewes oedd yr Anne yma hefyd—mam y Forwyn Fair—ond ni fynnai Marie Benodet gredu'r fath beth. Roedd gan y Santes Anne wyneb fel merched harddaf Llydaw ac fe wisgai fel y byddent hwy'n gwisgo gynt.

Yn ystod y gaeafau hirion yng Nghwmtydu, yn y blynyddoedd ar ôl colli ei gŵr, roedd hi wedi hiraethu ganwaith am gael mynd yn ôl i Lydaw heulog—Llydaw Gatholig. Doedd hi erioed wedi gallu dygymod â'r eglwys fach, lwyd ar ben y rhiw.

Rhyw ddiwrnod, meddyliodd, pan fyddai Lucille wedi priodi, fe fyddai hi ac Emil yn dychwelyd i Lydaw. *Lucille yn priodi!* Teimlodd ofid yn ei chalon. Pwy o'r llanciau a oedd yn dod heibio i dafarn Glandon i geisio'i hennill, oedd yn ddigon da i wyres Papa Benodet? Rhyw feibion ffermydd ag arogl y dom a'r pridd ar eu dillad? O na! Wrth gwrs, fe fu un, ddwy flynedd a rhagor yn ôl . . . ond . . . Gwthiodd y peth o'i meddwl. Fe âi hi â Lucille gyda hi cyn y byddai'n cael priodi un o'r gwŷr ifainc, garw oedd yn dod i dafarn Glandon. A'r llall? Doedd ei mam ddim wedi cael fawr o gysur o briodi'n uwch na'i stâd. Âi—fe âi hi â Lucille gyda hi.

Yn sydyn cododd Emil ei ben. "Mae 'na rywun yn dod," meddai.

"'Ma? Does bosib! Mae'n hwyr iawn."

Yna clustfeiniodd hithau a chlywodd sŵn traed yn nesáu at y drws. Cododd Lucille ei phen oddi wrth ei gweu ac edrychodd y tri ar ei gilydd. Yna clywsant gnoc ar y drws.

"Fe af fi," meddai Mari 'Fforin'. Rhoddodd ei gweill o'r neilltu ac aeth at y drws. Agorodd ef a chwythodd gwynt hallt y môr ar ei hwyneb. Gwelodd gysgod yn sefyll ar garreg y drws, cysgod dyn, ond edrychai'n debyg i fwgan hefyd, oherwydd—yng ngolau'r lleuad gallai Mari weld ei fod yn gwisgo cwcwll tywyll am ei ben a rhyw glogyn llaes am ei gorff.

"Pwy sy wedi dod i'n blino ni'r amser yma o'r nos?" gofynnodd Mari, gan geisio gweld wyneb yr ymwelydd yn yr hanner tywyllwch.

Y tu mewn, clustfeiniai Lucille a'i brawd, Emil, am ateb yr ymwelydd hwyr. Ond roedd llais y dieithryn mor isel fel y collodd y ddau yr ateb yn llwyr.

Yna daeth ei mam yn ôl i'r ystafell â golwg wyllt arni.

"Emil! Lucille! Ewch i'r llofft . . . mae 'na rhywun wedi galw i 'ngweld i . . . rhywun nad yw e ddim am i neb 'i weld e. Ewch nawr!"

Roedd hi'n swnio'n gynhyrfus. Ni symudodd yr un o'r ddau.

"Lucille! Wyt ti'n clywed?" Aeth y ferch ifanc am waelod y grisiau.

"Emil!"

"Rwy'n mynd i aros ar lawr i weld pwy yw e, Mama."

"Na, Emil, er 'y mwyn i. Ddaw e ddim mewn nes ei di."

"Ond pwy yw e? A beth yw 'i neges e?"

"Fe gei di wbod, rwy'n addo. Ond nid heno."

"O'r gore, Mama. Ond fe fynna i gael gwbod."

Aeth Emil yn ddistaw i fyny'r grisiau i'r llofft ar ôl ei chwaer.

Aeth Mari yn ôl i'r drws. "Dewch mewn," meddai wrth y dieithryn. Gwthiodd y dyn heibio iddi ac i mewn i'r gegin. Taflodd lygad brysiog o gwmpas y stafell, yna aeth at y siôn segur a diffodd y gannwyll. Yn awr roedd y stafell yn dywyll oni bai am y golau gwan a ddeuai o'r tân. Roedd hwnnw'n ddigon i Mari 'Fforin' allu gweld fod yr ymwelydd hwyr wedi ei wisgo mewn rhyw fath o got fawr hir—bron hyd y llawr, a bod rhyw gwcwll anniben o gwmpas ei ben ac yn cuddio'r rhan fwyaf o'i wyneb, yn wir, yn y golau gwan hwnnw, ni allai Mari weld ei wyneb o gwbwl.

"Eisteddwch," meddai, gan gyfeirio at y sgiw yn ymyl y tân. Ond eisteddodd y dieithryn ar gadair yn y cysgodion y pen arall i'r bwrdd. Yna dechreuodd siarad yn isel—mor isel fel y bu rhaid i Mari fynd at y bwrdd i glywed y cyfan a oedd ganddo i'w ddweud. Yno, â'r tân coed yn llosgi'n is ac yn is—soniodd am gynlluniau rhyfedd, am smyglo ar raddfa mor fawr nes codi dychryn ar Mari. Nid yr ychydig gasgenni bach o frandi yn awr ac yn y man, ond helfa fawr a chyson. Soniodd am borthladd Roscoff yn Llydaw—prif borthladd y smyglwyr, ac yn yr hanner tywyllwch, gallai Mari weld eto y dre fach glan-môr lle cyfarfu hi â'i chariad. Cofiodd y tai isel a'r tywod gwyn.

Yna daeth y dieithryn at bwrpas ei ymweliad â thafarn

Glandon y noson honno—roedd e'n gofyn am help Mari a'i bechgyn i ddwyn ei gynlluniau mentrus i ben. Roedd e'n awgrymu ei bod hi'n mynd unwaith eto i Roscoff—i Lydaw! Yna roedd y diethryn wedi codi ar ei draed. Am foment fflamiodd darn o bren yn y tân cyn llosgi allan, a chafodd Mari gyfle i weld lliw ei wisg. Synnodd weld fod ei got, neu ei glogyn, yn glytiau i gyd a'r rheini o wahanol liwiau, fel cwilt.

"Eich enw, syr . . . ?" gofynnodd Mari. Chwarddodd y dyn yn isel.

"Fe wna unrhyw enw'r tro . . . galwch fi'n Siôn—dyna enw bach digon cyffredin."

"Siôn . . . Siôn y cwilt . . ." meddai Mari, bron heb yn wybod iddi ei hun.

"A! Rwy'n gweld eich bod chi wedi sylwi ar 'y ngwisg i! Braidd yn anghyffredin rwy'n cyfadde! Ie, Siôn Cwilt . . . dyna fe i'r dim."

"Mae'n ddrwg gen i, ond fedra i ddim eich helpu chi, Siôn y Cwilt," meddai Mari.

Cydiodd yn ei braich yn sydyn a phlygu 'mlaen a sibrwd rhywbeth yn ei chlust, mor isel fel na chlywodd hyd yn oed Emil, a oedd wedi sleifio i lawr dros y grisiau heb yn wybod i neb, ac a oedd wedi bod yn gwrando'n astud ar y siarad.

"*Mon Dieu!*" meddai Mari 'Fforin', gan gamu'n ôl oddi wrth y dieithryn fel pe bai wedi cael ei tharo.

Yna roedd y dyn wedi mynd—allan i'r nos.

Aeth Mari ati i ail-gynnau'r gannwyll. Roedd ei llaw yn crynu. Heb yn wybod iddi sleifiodd Emil i fyny'r grisiau ac i'w wely.

*   *   *

Ac o'r noson honno, pan ymwelodd y dieithryn â'r got glytiog â hen dafarn Glandon, ni fu bywyd yr un fath yng Nghwmtydu. O fod yn bentre bach digon tawel a diniwed ar lan y môr, fe ddechreuodd ennill iddo'i hunan enw drwg iawn fel 'Pentre'r Smyglwyr'. Ac erbyn hynny roedd enw arall ar wefusau pobl pentrefi glannau'r môr—enw a fyddai'n cael ei sibrwd lle bynnag y byddai dau neu dri yn cwrdd â'i gilydd—enw y byddai'r mamau'n ei ddefnyddio i godi ofn ar y plant pan fyddent yn ddrwg ac yn pallu mynd i'r gwely.

Yr enw oedd 'SIÔN CWILT'.

Pennod 4

Marchogai Bart Thomson, ecseisman, ar ei geffyl tal, yn bwyllog ar hyd y ffordd serth a oedd yn arwain i Gwmtydu. Gwisgai gleddyf hir wrth ei glun a chariai ddau bistol, un yn ei wregys a'r llall ar y cyfrwy. Yn ei got goch, swyddogol a'i het drichorn edrychai'n ddyn pwysig iawn. O hirbell tu ôl iddo dilynai ei was, Walter Moses, ar geffyl dipyn llai o faint nag eiddo'i feistr.

Diwrnod heulog ym mis Tachwedd oedd hi â'r dail crin ar hyd yr heol yn crensian dan draed y ceffyl. Edrychodd yr ecseisman yn fanwl ar y môr llydan oedd yn ymestyn i'r pellter ar y dde iddo. Ar y gorwel gallai weld hwyliau gwynion llong. Ond roedd hi mor bell fel na allai ddweud i ba gyfeiriad roedd hi'n mynd.

Yna daeth i olwg pentre Cwmtydu. Dim ond rhes o dai gwynion mewn cilfach ddofn, gysgodol, a darn bach o draeth caregog. Edrychai'r lle mor llonydd a thawel â phentre mewn llun. Ac eto, meddyliodd, roedd y pentre bach yma wedi ennill enw drwg iawn iddo'i hunan yn ddiweddar. Os oedd yr hanesion amdano'n wir, hwn oedd pentre'r smyglwyr mwyaf mentrus a welodd Cymru erioed. Roedd ganddo lythyr yn ei boced y funud honno oddi wrth yr Awdurdodau yn Llundain yn ei orchymyn i ddwyn i ben, mewn unrhyw fodd posibl, y torri cyfraith haerllug a oedd yn mynd ymlaen dan gysgod nos yng Nghwmtydu.

Taflodd lygad dros ei ysgwydd i weld ble roedd ei was. Daeth hanner gwên dros ei wyneb wrth sylwi ei fod yn cadw'r un pellter rhyngddo â'i feistr. Fel yna roedd Bart Thomson wedi ei ddysgu i wneud bob amser. Roedd yr ecseisman yn ddigon o hen law i wybod y gellid ymosod yn sydyn, a dal *dau* yn teithio *gyda'i gilydd*, ond wrth deithio ymhell oddi wrth ei gilydd, roedd cyfle da i un ohonynt allu dianc i geisio cymorth.

Efallai nad oedd rhyw lawer ym mhen Walter Moses, meddyliodd Thomson, ond o leiaf roedd e'n was ufudd.

Camodd y ceffyl yn ofalus i lawr y rhiw serth i'r pentre. Gwelodd Thomson gychod ar y graean wrth lan y môr a rhwydi pysgotwyr yn sychu yn yr haul. Popeth mor heddychol a thawel!

Er nad oedd ef wedi bod yng Nghwmtydu erioed o'r blaen, fe wyddai i ble roedd e'n mynd y funud honno. Yn ôl ei arfer pan fyddai'n mynd i le dieithr i wneud ymchwiliad, yr oedd e ar ei ffordd i weld yr Ynad Heddwch leol. Hwnnw oedd yn fwyaf tebyg o roi gwybodaeth iddo, er na allai byth fod yn siŵr nad oedd ambell Ynad hefyd yn cefnogi'r smyglwyr! Roedd enw'r Ynad Heddwch a geisiai, yn y llythyr yn ei boced—Mr Watcyn Parri, Plas y Glasgoed, Cwmtydu. Ble roedd y Plas tybed?

Gwelodd dŷ tafarn â'r enw GLANDON wedi ei gerfio ar ddarn o bren uwch ben y drws.

"A!" meddai wrtho'i hunan, "faint o gontraband sy yn seleri'r lle 'ma ys gwn i?"

Ffrwynodd ei geffyl o flaen y drws a disgyn i'r llawr. Cerddodd i mewn i ryw fath o hanner tywyllwch a daeth aroglau sur cwrw i'w ffroenau.

Er na wyddai Bart Thomson mo hynny, roedd llygaid wedi bod yn ei wylio'n fanwl er pan ddaethai i'r golwg ar ben y rhiw a oedd yn arwain i lawr i'r pentre. Ar waelod y rhiw ar lan y môr yr oedd odyn galch a'i muriau uchel fel muriau hen gastell yn codi uwchben y traeth. Y tu ôl i fur yr odyn gorweddai dyn ifanc pryd tywyll, ac ef oedd y gwyliwr a oedd yn cymryd diddordeb mawr iawn yn symudiadau'r ecseisman.

Ar ôl gweld Thomson yn diflannu trwy ddrws y dafarn, yr oedd y gŵr ifanc ar fin codi ar ei draed pan welodd farchog arall yn dod i'r golwg ar ben y rhiw. Gorweddodd yn ei unfan am dipyn wedyn yn gwylio hwnnw'n dirwyn ei ffordd i lawr i'r pentre. Pan ddaeth y marchog, sef Walter Moses, at hen dafarn Glandon a gweld ceffyl ei feistr ynghlwm yn ymyl y porth, disgynnodd oddi ar gefn ei geffyl ei hun. Ond nid aeth i mewn i'r dafarn chwaith. Yn lle hynny eisteddodd ar fainc arw tu allan a phwyso'i gefn ar fur y dafarn.

Pan ddaeth llygaid Bart Thomson yn fwy cyfarwydd â'r hanner tywyllwch tu mewn i'r dafarn, gwelodd fod yna bump neu chwech o ddynion yn eistedd o gwmpas y taprwm yn drachtio'u cwrw o botiau pridd, trwchus. Gwelodd bob pen yn troi i'w gyfeiriad ef cyn gynted ag y cerddodd i mewn. Distawodd pob siarad.

"Gŵr y tŷ—ble mae e?" gofynnodd Thomson.

"Gwraig y tŷ sy 'ma, gŵr bonheddig," meddai dyn bach, crebach a eisteddai ar sgiw dderw yn ymyl y tân.

"Wel, ble mae hi?"

"Mari!" gwaeddodd y dyn bach gan daro'i bot pridd yn galed ar y bwrdd o'i flaen. Ni ddaeth unrhyw ateb i'r waedd honno.

"Ba!" meddai'r dyn bach, "ydych chi'n medru siarad Ffrangeg, syr?"

"Ffrangeg? Na, fedra i ddim. Pam?"

"Wel, dynes 'fforin' yw Mari ŷch chi'n gweld. Mari 'Fforin' fydd pawb yn 'i galw hi . . . wedi dod o Ffrainc. Nawr os ydych chi'n gallu rhegi yn Ffrangeg, syr— gnewch hynny ar dop eich llais. Fydd hi siŵr o ddod wedyn, gewch chi weld."

Ond y foment honno fe ddaeth gwraig y dafarn o'r cefn rywle.

"Ti sy'n gweiddi, Sami?" gofynnodd y ddynes, "mae gen i fara yn y ffwrn . . ."

"Na, nid fi, Mari. Y gŵr bonheddig 'ma sy eisie'ch sylw chi."

Edrychodd yr ecseisman a'r ddynes ar ei gilydd am amser hir. Gwelodd Thomson fenyw dal, aflêr ei gwisg, a'i gwallt du'n hongian yn anrhefnus ar ei hysgwyddau. Roedd golwg 'fforin' arni hefyd, fel roedd y dyn bach wedi dweud, meddyliodd.

Roedd llygaid duon gwraig y dafarn yn ei bwyso a'i fesur yntau hefyd. Roedd hi wedi sylwi ar y cleddyf hir a'r pistol, y got goch a'r het drichorn, ac fe wyddai'n iawn fod ecseisman wedi cyrraedd Cwmtydu.

"Beth yw'ch dymuniad chi, syr?" gofynnodd.

"Brandi, madam, os gwelwch chi'n dda," atebodd yr ecseisman. Bu moment o ddistawrwydd a'r ddau'n edrych i lygaid ei gilydd.

"Mae'n ddrwg gen i, syr," meddai gwraig y dafarn o'r diwedd, "tŷ tlawd yw hwn a phobol dlawd fydd yn yfed 'ma. Does na ddim galw am frandi am ei fod yn rhy ddrud, felly fyddwn ni ddim yn 'i gadw fe."

Gwenodd yr ecseisman arni. "Dyw *pob* brandi ddim yn costio cymaint â hynny. Mae brandi contraband . . ."

"Mae'n ddrwg gen i—ond fyddwn ni ddim yn cadw hwnnw chwaith," meddai gwraig y dafarn.

"Felly'n wir, madam." Yn awr yr oedd min ar ei lais. "Fe gawn ni weld. Fy enw i yw Thomson—Bart Thomson, ecseisman, ac rwy'i am weld seleri'r dafarn 'ma."

Gwelodd lygaid duon y wraig yn fflachio a'i dwy wefus yn tynhau.

"Fydda'i byth yn gadael i neb fynd lawr i seleri'r dafarn 'ma, syr," meddai.

"Ond rwy'n cynrychioli'r Gyfraith, madam—does gennych chi ddim hawl gwrthod."

Clywodd sŵn o'r tu ôl iddo a phan drodd ei ben gwelodd fod y dynion oedd wedi bod yn eistedd o gwmpas y taprwm wedi codi o'u seddau a dod yn gylch amdano. Ni ddywedodd yr un ohonynt air ond gwyddai Thomson wrth yr olwg ar eu hwynebau eu bod yn paratoi i ymosod arno. Ond nid dyn llwfr oedd Thomson.

"O?" meddai, gan edrych o'i gwmpas, "fel hyn mae pethau yng Nghwmtydu iefe? O'r gore, bobol, ond cofiwch, rwy'n eich rhybuddio chi unwaith 'to—rwy'n cynrychioli'r Gyfraith ac mae gen i hawl i ofyn am help gan unrhyw berson heddychol . . ."

"Ecseisman, gwell i ti fynd," meddai Mari ar ei draws.

Erbyn hyn roedd llaw Thomson yn dynn am garn ei gleddyf a'i lygaid yn gwbio o un wyneb i'r llall yn wyliadwrus. Roedd e'n pwyso a mesur yn ei feddwl tybed na allai ef, gyda'i bistol a'i gleddyf, a help Walter Moses, a oedd erbyn hyn, fe deimlai'n siŵr, yn ymyl yn rhywle, ddod i ben â'r giwed 'ma oedd yn ei herio?

Torrodd llais cras y dyn bach—Sami—ar draws ei feddyliau.

"Ie, gwell i chi fynd, wir, syr. Fydd hi ddim yn dda arnoch chi os daw plant Mari ar eich hôl chi!" Chwarddodd fel hen frân yn crawcian.

"Plant Mari?" holodd yr ecseisman, heb droi ei ben.

"Ie," meddai Sami, "bechgyn y Ffrances 'na—dri ohonyn nhw."

"Sami, cau dy geg fawr!" meddai gwraig y dafarn, "a gyda llaw, Mister ecseisman, nid Ffrances ydw i, ond Llydawes. Ewch nawr, i chwilio'ch diod yn rhywle arall."

Closiodd y dynion o'i gwmpas gam yn nes at Thomson. Gydag un symudiad cyflym trodd ei gefn at y drws a thynnu ei gleddyf yr un pryd. Dechreuodd gamu'n ôl yn araf lwyr ei gefn.

"O'r gore," meddai rhwng ei ddannedd, "mi fydda i'n dod 'nôl—gyda chant o ddragŵns os bydd angen. Peidiwch chi credu y gallwch chi herio'r Gyfraith, bobol!"

Bob cam a roddai ef tuag yn ôl, deuai'r dynion distaw yn y dafarn gam ymlaen.

"Rwy'i ar fy ffordd at yr Ynad Heddwch y funud 'ma, bobol," meddai Thomson, "a fydda i ddim yn gorffwys nes bydd pob smygler yn y cwm 'ma wedi cael 'i roi dan glo—neu wedi ei grogi."

Yna roedd e wedi cyrraedd y drws a'r awyr agored unwaith eto. Gwelodd ei was yn eistedd ar y fainc yn ymyl mur y dafarn, ond ni chymerodd unrhyw sylw ohono. Aeth at ei geffyl ei hun a neidio i'r cyfrwy. Nid oedd neb wedi ei ddilyn allan o'r dafarn.

Gwelodd hogyn bach carpiog tua deg oed yn mynd heibio ar ei ffordd i'r traeth.

"Ble mae Plas y Glasgoed, fachgen?" gofynnodd.

Edrychodd yr hogyn bawlyd ar ei got goch a'i het drichorn, ac yn arbennig ar y pistol anferth wrth ei wregys, a'r cleddyf, a oedd erbyn hyn yn ôl yn ei wain.

"Wel?" gofynnodd yr ecseisman yn ddiamynedd.

"Lan . . . draw . . ." meddai'r hogyn, mewn peth dychryn.

"Ffordd?"

Pwyntiodd yr hogyn bach â'i fys tuag at y ffordd oedd yn dirwyn i fyny o Gwmtydu.

Nid arhosodd yr ecseisman i ddiolch iddo. Yn lle hynny sbardunodd ei geffyl a chychwyn ymaith, gan wyro'i ben yn unig, fel arwydd i'w was i'w ddilyn.

Wrth ddringo'r rhiw serth i fyny o'r pentre edrychai Bart Thomson yn graff o'i gwmpas. Roedd y gilfach y safai Cwmtydu ynddi yn un ddofn iawn a rhedai nant fach, barablus, trwy ei gwaelod, ac i'r môr ar draeth caregog a chreigiau duon ysgythrog o'i gwmpas i gyd. Gyda glan y nant fach, ymhell i fyny'r cwm, roedd rhes o fythynnod bach a rhai ffermydd. Ni allai weld dim byd tebyg i blas yn un man.

Bu rhaid iddo ddringo am yn agos i filltir nes cyrraedd y tir gwastad cyn dod i olwg y lle a geisiai—sef Plas y Glasgoed.

Pennod 5

Eisteddai hen ŵr bonheddig y Glasgoed yn ei gadair siglo gerfiedig ar feranda gysgodol y Plas. Tywynnai haul y prynhawn trwy do gwydr y feranda ar ei wyneb delicet a'i wallt gwyn, tenau. Er fod cysgod rhag gwynt oeraidd yr hydref yn y fan honno, roedd yr hen ŵr wedi ei lapio mewn digon o ddillad cynnes. O'r fan lle'r eisteddai gallai weld ymhell i'r gorllewin, dros ehangder o fôr, a thua'r gogledd ar hyd yr arfordir—i gyfeiriad y Cei Newydd ac Aberystwyth.

Ond nid oedd llygaid y gŵr bonheddig ar y môr nac ar y glannau creigiog, ond ar gaeau gwyrddion a choed mawr stâd y Glasgoed o'i gwmpas, ac roedd golwg drist iawn ar ei wyneb llwyd.

Daeth dynes dew mewn dillad duon allan o'r Plas, â hambwrdd yn ei llaw a chwpan a soser a phlat ar hwnnw.

Trodd yr hen ŵr ei ben i weld pwy oedd yno.

"A! Deina, chi sy 'na. Y . . . dwy'i ddim eisie dim byd nawr."

"Ba! Mae'n rhaid i bob un fwyta bwyd, hawyr bach! Chymroch chi ddim byd bron i ginio, Mr Parri."

"Does gen i ddim stumog at fwyd, Deina, wir i chi."

"Cwpaned bach o de poeth a darn bach o'r gacen 'ma sy'n dwym o'r ffwrn." Gosododd yr hambwrdd ar gôl yr hen ŵr er i hwnnw geisio'i rhwystro. Ond fe wyddai Watcyn Parri'n ddigon da nad dynes i ddadlau â hi oedd y wraig yma oedd wedi bod yn cadw tŷ iddo er pan fu farw ei wraig ar enedigaeth ei fab—Harri.

Cymerodd ddracht o de a rhoi briwsionyn o'r deisen yn ei geg.

"Ydych chi'n siŵr eich bod chi'n gynnes fan hyn, Mr Parri. Mae'n hydre bellach, cofiwch."

"Rwy'n iawn, Deina, wir i chi."

"Wn i ddim, rŷch chi wedi bod yn esgeuluso'ch hunan yn ddiweddar . . ."

Ysgydwodd y gŵr bonheddig ei ben. "Rwy'n ofni falle, 'mod i wedi byw'n rhy hir, Deina."

"Rhaid i chi beidio dweud pethe felna, Mr Parri!" meddai'r ddynes dew yn siarp.

"Ond, Deina, ydych chi ddim yn styried . . . beth sy'n mynd i ddigwydd? Fe fydd rhaid i ni adel y cyfan 'ma." Cyfeiriodd â'i law at y coed a'r caeau o'i flaen.

Trodd Deina ei phen oddi wrtho rhag iddo weld y dagrau oedd wedi neidio'n sydyn i'w llygaid.

"Does dim gair wedi dod oddi wrth Harri," meddai'r hen ŵr wedyn, "felly mae'n rhaid 'i fod e wedi methu codi'r arian."

"Ble mae'r 'Tifedd, Mr Parri? Fe ddyle fe fod yma gyda chi nawr!" Roedd y geiriau wedi llithro allan o enau Deina heb yn wybod iddi. Yn awr, edrychodd yn ofnus ar yr hen ŵr i weld a oedd e'n mynd i ddigio. Bu distawrwydd rhyngddynt am dipyn. Safai Deina yn awr y tu ôl i'r gadair â'i llygaid yn llawn dagrau. Â dwylo nerfus cydiodd am y siôl wlân oedd am war ei meistr, a'i thynnu'n dynnach am ei ysgwyddau tenau.

"Wnâi hi ddim lles iddo ddod heb yr arian, Deina. Fe ddaw Harri pan fydd e wedi llwyddo . . . mae'n cymryd amser . . . does dim arian parod gan bobol y dyddiau hyn . . . rhaid i ni fod yn amyneddgar."

Tynnodd Deina anadl o ryddhad. Doedd e ddim wedi digio. Ond roedd ofn yn ei chalon—ofn fod yr Etifedd wedi dianc yn ôl i'w hen ffordd ofer o fyw yn y Brifddinas. Yn wir, fel roedd yr wythnosau'n mynd heibio a dim sôn am Harri Parri'n dychwelyd—roedd yr ofn wedi mynd yn sicrwydd bron.

Cymerodd Watcyn Parri friwsionyn bach arall o'r deisen.

"Fe fydd hi'n ddrwg ar y deiliaid lawr yn y cwm, Deina, pan fydd y stâd yn nwylo Coleby. Fe fydd e'n hawlio'r rhenti . . ."

"Fel y dylsech fod wedi gwneud ers blynyddoedd, Mr Parri. Maen nhw'n gwneud digon o arian wrth smyglo'r dyddie hyn, rwy'n clywed."

Agorodd y drws oedd yn arwain o'r Plas i'r feranda a daeth Nel, y forwyn fach i'r golwg yn ei ffedog a'i chap gwyn.

"Beth sy?" gofynnodd y ddynes dew.

"Dyn dierth wedi galw—eisie gweld Mr Parri."

"Pwy yw e, Nel?" gofynnodd yr hen ŵr, mewn peth dychryn. "Deina, dŷch chi ddim yn meddwl mai'r dyn 'na—Coleby—sy wedi dod . . ?"

"Fe ddwedodd mai Thomson yw 'i enw fe, syr," meddai'r eneth.

"Thomson? Ydw i'n nabod rhywun o'r enw Thomson? Ewch ag e i'r llyfrgell, wnewch chi?"

"O'r gore, syr."

"Cymrwch yr hambwrdd 'ma, Deina," meddai'r hen ŵr. Cododd yn anystwyth o'r gadair siglo a chamu'n fân ac yn araf trwy'r drws i mewn i'r Plas. Roedd e'n sefyll â'i gefn at y tân yn y llyfrgell pan ddaeth Bart Thomson i mewn.

"Mr Watcyn Parri?" meddai'r ecseisman. "Diolch yn fawr i chi, syr, am fy ngweld i ar fyr rybudd fel hyn."

"Eisteddwch, Mr Thomson," meddai'r hen ŵr yn gwrtais, "ym mha ffordd y galla i fod o wasanaeth i chi, syr?"

"Diolch," meddai Thomson, gan eistedd mewn cadair esmwyth yn ymyl y tân, "y . . . rwy'n deall mai chi yw'r Ynad Heddwch yn yr ardal 'ma, Mr Parri . . ."

"Ie, fi yw e. Ond . . ."

"Wel, i ddweud fy neges yn fyr, syr, rwy'i wedi cael fy anfon i Gwmtydu gan yr awdurdodau i geisio rhoi stop ar y smyglo . . ."

"Smyglo!" Roedd llais yr hen ŵr yn siarp. Roedd e wedi bod yn edrych ar y got goch a'r het drichorn ac yn ceisio cofio . . . Yn awr fe wyddai beth oedd y dyn dierth yma! Ecseisman!

"Ie, syr, mae'n ddrwg gen i ddweud," meddai Thomson yn ddifrifol. "Mae 'na hanesion drwg iawn wedi cyrraedd yr awdurdodau ynglŷn â'r hyn sy'n mynd ymlaen yng Nghwmtydu. Dyna pam rwy'i wedi dod atoch chi, syr, yn y lle cynta . . ."

"Ond pam fi?"

"Wel, syr, fel y dwedes i, chi yw'r Ynad Heddwch."

"Wel?" Roedd yr hen ŵr yn swnio'n bigog.

"I ddweud y gwir, syr, rown i wedi meddwl cael eich cydweithrediad chi i ddwyn y smyglwyr 'ma i'r ddalfa. Mae'n arferol pan fydd rhywun fel fi'n cael 'i anfon gan yr awdurdode . . . i fynd at yr Ynad Heddwch lleol yn gynta."

"Ond Mr Thomson, rwyf fi'n hen ŵr ac rwy'n methu'n lân â gweld sut y galla i eich helpu chi. A pheth arall," meddai gan godi ei ben ac edrych yn ffyrnig ar yr ecseisman, "dwy'i ddim yn credu fod yna smyglo'n mynd ymlaen yng Nghwmtydu. Does neb wedi dweud dim wrthyf fi tan y funud 'ma. Oes gennych chi unrhyw dystiolaeth i brofi . . ."

"Wel, syr, y . . . nagoes . . . ddim ar hyn o bryd, ond . . ." Petrusodd Thomson mewn dau feddwl. A ddylai ddatgelu'r wybodaeth oedd ganddo i'r hen ŵr?

"Wel?" meddai Watcyn Parri.

"Syr, rwy'i wedi clywed fod 'na lyger yn glanio contraband yn y pentre 'ma bob wythnos bron yn ddiweddar."

"Lyger! Bob wythnos. Ffwlbri noeth, Mr Thomson! Ble yn y byd y gallai pobol dlawd Cwmtydu gael gwared ar gymaint â hynna o gontraband, yn eno'r dyn!"

"Fel y dwedes i, Mr Parri, dwy'i ddim wedi cael cyfle eto i ddarganfod dim byd, ond os oes 'ma gang yn gweithio, dyw hi ddim yn anodd cael gwared ar gontraband, wyddoch chi."

"Syr," meddai Watcyn Parri, "tenantiaid stâd y Glasgoed yw pobl pentre Cwmtydu bron i gyd. I fi maen nhw'n talu'r rhent . . . 'y mhobol i ydyn nhw, ac mae'n ddrwg gen i na alla i ddim gwrando arnoch chi'n 'u cyhuddo nhw o dorri'r Gyfraith i'r graddau rŷch chi wedi awgrymu nawr. Efalle fod yna ryw ychydig bach o smyglo'n mynd ymlaen—rwy'n meddwl fod hynny'n digwydd ym mhob pentre glan môr—yn Lloegr yn enwedig. Ond . . ." Stopiodd yn sydyn a rhoi ei law ar ei fynwes. "Mae'n ddrwg gen i, Mr Thomson, ond rwy'n ofni na alla i ddim rhoi rhagor o amser i chi heddi . . . rwy'n hen ac mae'n iechyd i . . ."

Estynnodd ei law at raff y gloch a'i thynnu. Daeth y forwyn fach â'r cap gwyn a'r ffedog wen i mewn bron ar unwaith.

"Y . . . Nel," meddai'r hen ŵr yn floesg, "mae Mr Thomson yn mynd nawr . . ."

Cododd yr ecseisman ar ei draed.

"Mae'n ddrwg gen i, syr, os ydw i wedi'ch tarfu chi. Mae'n debyg oddi wrth yr hyn rydych chi wedi'i ddweud, na alla i ddim disgwyl eich cydweithrediad chi yn yr achos 'ma. Ond rwy'i am i chi wybod, syr, y bydda i'n mynd ymlaen â 'ngwaith ar waetha hynny. Fydda i ddim yn gorffwys nes bydd y Gyfraith yn cael 'i pharchu yng Nghwmtydu unwaith 'to."

Yna cerddodd allan drwy'r drws gan roi ei het drichorn ar ei ben wrth fynd.

Roedd gwg ffyrnig ar wyneb Bart Thomson wrth

47

farchogaeth ei geffyl unwaith eto. Roedd e wedi gobeithio y byddai'n derbyn croeso gan yr Ynad Heddwch. Yn wir, roedd e wedi meddwl y byddai'n cael cynnig bwyd a llety yn y Plas nes byddai ei ymchwiliadau wedi dod i ben. Yn awr byddai rhaid iddo chwilio am lety yn rhywle arall. Gwyddai mai ffolineb fyddai mynd yn ôl i Gwmtydu i edrych am le i aros. Os oedd y cyfan a glywsai am y lle yn wir, fe allai treulio un noson yno fod yn berygl bywyd iddo ef a'i was. Byddai rhaid iddo ddychwelyd i'r Cei Newydd neu fynd ymlaen i bentre bach Llangrannog i edrych am westy. Barnai fod y Cei yn rhy bell o Gwmtydu, ac felly aeth ymlaen am Langrannog, a Walter Moses yn ei ddilyn o hirbell fel arfer.

Roedd cloddiau uchel o bob tu i'r ffordd ac ni wyddai'r un o'r ddau fod dau lygad du, o'r tu ôl i un o'r rheini, yn eu gwylio'n mynd.

Yn ôl yn y Plas galwodd Watcyn Parri am Deina.

"Syr?" meddai honno pan gyrhaeddodd.

"Deina! Ecseisman oedd hwnna. Ydych chi wedi clywed fod 'na smyglo mawr yn mynd ymlaen yng Nghwmtydu'n ddiweddar? Fe awgrymoch chi rywbeth . . ."

"Do rwy'i wedi clywed. Mae pawb yn gwbod, ac yn siarad . . ."

"Ond ches i ddim gwbod . . ."

"Chi yw'r Ynad Heddwch, Mr Parri! A pheth arall mae gyda chi ddigon o brobleme eraill ar hyn o bryd."

Pennod 6

Safai Bart Thomson yn bennoeth ar ben clogwyn llwyd oedd wedi bod yn gwgu i lawr ar bentre bach Llangrannog ar hyd y canrifoedd. Roedd e wedi gadael ei het drichorn ar ôl yn nhafarn y 'Llong' lle y bu'n lletya'r noson gynt, oherwydd roedd hi'n wyntog i fyny ar ben y creigiau'r bore hwnnw, ac nid oedd am roi cyfle i'r gwynt ei chipio a'i thaflu dros y dibyn i'r môr.

Roedd ganddo delisgop gloyw yn ei law, ac ar ôl syllu dros y môr â'i lygaid noeth am dipyn, cododd ef at ei lygad de. Aeth amser heibio a'r telisgop yn symud yn ara bach o ynys Enlli yn y gogledd hyd at ynys Aberteifi yn y de.

Er nad oedd wedi llwyddo i weld yr un llong â'i lygaid noeth ei hun, yr oedd ei delisgop wedi dangos iddo smotiau llwydwyn ar y gorwel. Fe wyddai Thomson mai hwyliau llongau oedd y smotiau hynny. Ond yr oedden nhw'n rhy bell iddo allu dweud pa fath o longau oeddynt. Aeth i lawr yn araf ar hyd y llwybr troellog tuag at y pentre. Ond yn barod roedd e wedi penderfynu y byddai'n dringo i ben y clogwyn eto ymhen rhai oriau. Efallai y byddai'r llongau wedi dod yn nes at y lan erbyn hynny.

Ar ôl cyrraedd y gwaelod, edrychodd ar ei wats fawr a oedd ar gadwyn arian a honno 'nghlwm wrth ei wasgod. Un ar ddeg o'r gloch. Ni fyddai ei ginio'n barod yn y 'Llong' am awr arall. Felly aeth am dro wrtho'i hunan ar hyd y traeth. Nid oedd fawr neb o gwmpas, ond i lawr ar lan y môr roedd yna bedwar neu bump o blant bach, carpiog yn casglu darnau o goed a oedd wedi cael eu gadael ar ôl gan y llanw. Ond nid aeth Bart Thomson i lawr at lan y môr. Yr oedd ei ddiddordeb ef yn y creigiau o gwmpas y traeth, ac yn arbennig yn yr ogofeydd a oedd yn y creigiau hynny. Rhaid bod creigiau'r arfordir garw yma'n ogofeydd i gyd, meddyliodd—wedi cael eu tyllu a'u naddu gan y môr ar hyd y canrifoedd. A lle roedd ogofeydd, meddyliodd, roedd smyglwyr!

*   *   *

Roedd hi'n bedwar o'r gloch y prynhawn pan ddychwelodd yr ecseisman i ben y clogwyn. Gwelodd hi ar unwaith, hyd yn oed heb gymorth ei delisgop—llong ddu â hwyliau llwydion arni. Cyn gynted ag yr edrychodd arni trwy'r telisgop fe ddechreuodd deimlo'n gynhyrfus. *Lyger* oedd hi, doedd dim amheuaeth, ac roedd hi'n hwylio'n araf i gyfeiriad y tir, er ei bod hi ymhell o hyd. Sylwodd Thomson ar ei bow hir a'i chorff lluniaidd. Llong fuan, anodd ei dal, meddyliodd. Ai dyma'r lyger y clywsai amdani—honno oedd yn glanio contraband yng Nghwmtydu?

Yr oedd Thomsom yn hen law o ecseisman, ac yn awr roedd pob synnwyr yn ei gorff yn dweud wrtho mai llong smyglo oedd hon. Fe gymerai oriau iddi gyrraedd Cwmtydu, meddyliodd, os mai am Gwmtydu yr oedd hi'n hwylio. Byddai'n nos erbyn hynny, a byddai'r tywyllwch, wrth gwrs, yn ei gwneud yn anodd iawn iddo ef a'i was rwystro'r smyglwyr. Ond byddai rhaid rhoi cynnig arni serch hynny. Pe bai'n gallu dal *un*, meddyliodd, fe allai yrru ofn ar y lleill, a pheth arall, fe allai gael llawer o wybodaeth allan o'r un hwnnw!

Arhosodd ar ben y clogwyn yn gwylio'r lyger nes aeth yr haul i lawr o'r tu ôl iddi. Yna, â chysgodion nos yn dechrau crynhoi o'i gwmpas, aeth yn frysiog i lawr y llwybr unwaith eto.

Yr oedd canhwyllau wedi eu cynnau pan gyrhaeddodd

yn ôl yn nhaprwm y 'Llong', ac eisteddai pedwar neu bump o ddynion ar y meinciau o gwmpas y tân. Gwelodd ei was, Walter Moses yn eistedd wrth un o'r byrddau â phot o gwrw o'i flaen. Gwgodd arno. Er ei fod wedi ei adael ar ôl yn y dafarn bu ef ei hun ar ben y clogwyn, gyda'r gorchymyn iddo gadw'i glustiau ar agor i wrando ar y siarad oedd yn mynd ymlaen yn y 'Llong' ymysg y gwŷr lleol, gwelodd yn awr fod Walter wedi yfed mwy o gwrw nag oedd o les iddo. Dyna oedd prif fai ei was, meddyliodd—roedd e'n rhy hoff o'i ddiod. Ond daeth hanner gwên dros wyneb Bart Thomson wrth feddwl am y gwaith a oedd yn aros Walter y noson honno—os oedd ef wedi dyfalu'n gywir mai lyger y smyglwyr oedd allan yn y bae'r funud honno.

Safodd y tafarnwr o'i flaen—gŵr gweddol ifanc, tew o'r enw Rhys Prydderch.

"Ddewch chi trwodd i'r stafell arall, syr? Mae 'na dân wedi'i gynnau . . ."

"O'r gore, diolch," atebodd Thomson, gan ddilyn y tafarnwr i gefn y gwesty.

Arweiniwyd ef i ystafell fwy moethus o dipyn na'r taprwm. Yr oedd tân coed braf yn fflamio yn y grât. Tynnodd y tafarnwr gadair drom, esmwyth at y tân.

"Eisteddwch, syr. Gymrwch chi lasied o rywbeth?"

"Brandi. A dwedwch wrth y gwas 'na sy gen i 'mod i am gael gair ag e. Gyda llaw, Mister Tafarnwr, pryd bydd hi'n benllanw heno, wyddoch chi?"

"Arhoswch chi, syr . . . y . . . chwarter i un ar ddeg . . . o fewn munud neu ddwy."

"Diolch."

"Dewch!" gwaeddodd, a cherddodd Walter Moses i mewn â'i bot cwrw yn ei law. "Eistedd!" meddai Thomson, gan gyfeirio at gadair gyferbyn ag ef.

Eisteddodd y gwas gan roi ei bot cwrw ar y pentan. Yna

edrychodd ar ei feistr â golwg braidd yn anesmwyth ar ei wyneb coch.

"Rwyt ti wedi bod yn yfed," meddai Thomson yn sarrug.

"Na, wir i chi, dim ond peint neu ddau, tra rown i'n ceisio cael tipyn o wybodaeth allan o'r bechgyn lleol yn y taprwm."

Daeth y tafarnwr i mewn â gwydryn bach o frandi i'r ecseisman. Cyn gynted ag y caeodd y drws ar ei ôl gofynnodd Thomson.

"Wel? A faint o wybodaeth gefest ti?"

Gwingodd Walter yn ei gadair. "Wel . . . y . . . mae'r dynion sy'n byw yn y pentre 'ma—wn i ddim beth sy'n bod arnyn nhw—ond does dim modd cael unrhyw wybodaeth am y smyglo . . ."

"Rwyt ti wedi gwastraffu prynhawn cyfan felly?"

"Mae ofn arnyn nhw ddweud dim . . ."

"Ofn beth?"

"Wel, fe ddwedodd un ohonyn nhw fod ofn plant Mari 'Fforin' ar bawb yn Llangrannog."

Am foment edrychodd yr ecseisman i lygad y tân. Plant Mari 'Fforin'! Y rheini eto! Gwelodd Walter yn estyn ei law at ei bot cwrw.

"Gad hwnna!" Roedd llais Thomson yn gras. "Rwyt ti wedi cael digon o gwrw am un diwrnod, y gwalch! Ac mae 'na waith yn dy aros di heno—gwaith y bydd angen pen clir arnat ti i 'neud e."

"Beth sy heno 'te, Mister Thomson?"

"Mae 'na lyger allan yn y bae, yn hwylio i'r cyfeiriad yma. Mae gen i syniad y bydd hi'n glanio contraband yng Nghwmydu heno ar y penllanw . . . tua chwarter i un ar ddeg."

Edrychodd Walter yn syn ar ei feistr.

"Ond . . ."

"Ond beth?"

"Wel . . . y . . . fedrwn ni'n dau . . ."

"Ti, Walter."

"Fi? Fi'n *hunan*?"

"Wrth gwrs."

"Ond fe fydd yn ddigon am 'y mywyd i, Mister Thomson!"

"Fydda i ddim ymhell tu ôl i ti, Walter. Gwrando nawr. Does 'na neb yng Nghwmtydu'n dy nabod ti eto, na neb, gobeithio, yn gwybod fod yna unrhyw gysylltiad rhyngon ni. Rwy'i am i ti fynd lawr i'r pentre erbyn tua naw neu hanner awr wedi naw o'r gloch—fe fydd hi'n nos erbyn hynny—ac rwy'i am i ti gadw llygad ar yr hyn fydd yn mynd ymla'n 'co."

"Fydde dim gwell i ni aros nes cael milwyr, Mister Thomson? Rwy'n ofni fod 'na greaduried yng Nghwmtydu 'na sy'n beryglus . . ."

"Wrth gwrs 'u bod nhw'n beryglus, Walter. Ond maen nhw'n gwbod y byddan nhw'n cael 'u crogi os byddan nhw'n ymosod ar ecseisman. Rydyn ni'n weision y Gyfraith, Walter!"

"Dwy'i ddim yn hoffi'r hyn rwy'i wedi glywed am y . . . 'plant Mari Fforin' 'ma, Mister Thomson."

Ni ddywedodd ei feistr ddim am foment. Cymerodd ddracht fechan o'r gwydryn brandi, gan edrych yn graff ar Walter.

"Efalle nad wyt ti ddim yn hoffi'r gwaith 'ma, Walter . . ?" meddai wedyn.

"Na, na! Dim o gwbwl, Mister Thomson!"

"Dwyt ti ddim yn 'i hoffi e?"

"Na, na. Dweud o'n i . . ."

"Wel?"

"Fe af i lawr i Gwmtydu, wrth gwrs, Mister Thomson."

"O'r gore." Fe wyddai Thomson yn dda fod Walter yn hoffi ei ddilyn ef o gwmpas y wlad, yn hoffi ei geffyl a'r bwyd da a gâi yn y gwestai lle byddai ei feistr yn aros. Yn wir roedd e'n hoffi popeth ond y gwaith peryglus yr oedd yn rhaid iddynt ei wynebu weithiau.

"Gwell i ti fynd i orffwys ar dy wely nawr nes bydd hi'n amser swper," meddai'r ecseisman, "a chofia—dim un diferyn arall o gwrw."

Edrychodd Walter ar ei bot cwrw hanner-llawn ar y pentan. Ond ni fentrodd gyffwrdd ag ef. Yn lle hynny cododd a mynd allan o'r ystafell. Clywodd Thomson sŵn ei draed trymion yn dringo'r grisiau i'r llofft.

Ar ôl gorffen ei frandi aeth yntau hefyd i'r llofft i'w ystafell wely ei hunan. Yno bu'n edrych yn fanwl ar y ddau bistol trwm. Ar ôl gofalu fod y ddau wedi eu llwytho ac yn barod i'w tanio, gorweddodd ar ei wely â'i ddwy law dan ei ben. Dechreuodd feddwl am y lyger ddu allan yn y bae ac am y bobl oedd, yn ôl pob tebyg, yn disgwyl amdani ar draeth Cwmtydu.

Yr oedd hi'n naw o'r gloch pan ddaeth Walter Moses i olwg pentre Cwmtydu unwaith eto. Erbyn hyn roedd cymylau gwyn, mawr wedi codi o'r gorllewin a phob yn awr ac yn y man, gwibiai'r rheini'n gyflym dros wyneb y lleuad gan fwrw cysgod tywyll dros bob man.

Cerddai'r ceffyl trwy'r borfa feddal wrth ymyl y ffordd, rhag i neb a allai fod o gwmpas glywed sŵn carnau. Ar y chwith iddo gallai glywed byrlymu'r nant fach honno a welodd wrth fynd trwy'r pentre'r diwrnod cynt. O gwmpas y nant tyfai coed uchel, a phan farnodd ei fod wedi dod yn ddigon agos at y pentre, fe drodd ben y ceffyl oddi wrth y ffordd a mynd i lawr i ganol y coed wrth lan y nant. Disgynnodd i'r llawr a chlymodd y ceffyl wrth lwyn yno. Yna aeth ymlaen yn llechwraidd ar ei draed i gyfeiriad y pentre. Fe deimlai'n gynhyrfus iawn, ac ni fyddai dim yn well ganddo'r funud honno na bod yn ôl yn nhafarn y 'Llong' a phot o ddiod yn ei law. Fe fyddai golau yno, a chwmni cyfeillgar a gwres tân.

Fe gerddai fel cysgod gydag ymyl y clawdd uchel ac ni wnâi ei draed ddim sŵn yn y borfa wlithog.

Aeth heibio i res o fythynnod ar y dde i'r ffordd. Roedd golau gwan yn ffenestri pob un, ond nid oedd undyn byw i'w weld yn symud o'u cwmpas.

Cyfarthodd ci heb fod ymhell oddi wrtho. Tybed a oedd rhyw reddf wedi rhybuddio'r creadur ei fod ef—Walter Moses—yn mynd heibio'n ddistaw yr ochr arall i'r ffordd? Ond distawodd y cyfarth wedyn ac aeth Walter yn ei flaen. Roedd e'n awyddus i gyrraedd rhyw guddfan mor agos ag oedd bosib i lan y môr, fel y gallai fod mewn sefyllfa i weld unrhyw symudiadau yno yn nes ymlaen pan ddeuai'r penllanw. Dyna oedd y trefniadau rhyngddo ef a'i bennaeth cyn iddo adael y 'Llong'.

Ond a fedrai gyrraedd glan y môr—trwy'r pentre a heibio i dafarn Glandon—heb i neb ei weld?

Aeth cwmwl tywyll heibio i'r lleuad a daeth ei hwyneb crwn i'r golwg yn glir. Roedd y golau a daflodd o gwmpas Walter Moses bron fel golau dydd! Aeth i lawr yn sydyn i'r borfa hir ar lan yr afon fach. Gorweddodd yno gan deimlo'r gwlith yn mynd trwy ei ddillad, nes daeth cwmwl mawr arall dros wyneb y lleuad. Yna cododd a mynd yn ei flaen eto.

Wrth nesu at dafarn Glandon gallai glywed sŵn rhialtwch mawr. Gweiddi a chwerthin a yrrodd ias drwyddo. Os oedd smyglwyr o gwmpas y noson honno, meddyliodd, mewn yn fanna yr oedden nhw.

Daeth i olwg y traeth bach oedd yn goleddu i lawr yn serth tua'r môr. Ymhle y gallai gael cysgod? Edrychodd o'i gwmpas yn wyllt, oherwydd roedd e wedi gweld golau'n symud ar ben y graig i'r dde. Gwelodd yr odyn galch yn ei ymyl. Pe bai e'n dringo i ben honno a fyddai'n ddiogel wedyn? Neu a fyddai'r smyglwyr yn debyg o ddod y ffordd honno a'i weld? Yna sylwodd fod cwmwl arall bron â symud oddi ar wyneb y lleuad. Cyn pen winc fe fyddai'r lle'n olau unwaith eto! Yn waeth na hynny, hyd yn oed, roedd e'n gallu gweld cysgodion yn symud yn awr—i lawr ar lan y môr! Gwelodd ymyl y cwmwl yn troi'n arian a throdd a rhedeg i fyny'r llwybr serth i ben yr odyn. Fe'i taflodd ei hun i'r llawr wrth fur yr odyn galch eiliad fer cyn i wyneb y lleuad ddod i'r golwg o'r tu ôl i'r cwmwl.

Yna fe ddechreuodd ei galon guro fel gordd, oherwydd gwelodd fod yna dri dyn arall yn gorwedd wrth fur yr odyn. Roedden nhw wedi bod yno cyn iddo gyrraedd! Am foment ni symudodd neb er fod awydd cryf ar Walter Moses i roi traed yn y tir y funud honno. Gorweddai dau ddyn ar y chwith iddo ac un ar y dde. Roedd e wedi disgyn yn eu canol! Gwelodd wrth olau'r lleuad fod y tri wedi troi eu pennau i edrych arno. Ond ni wnaeth yr un ohonynt unrhyw symudiad i gydio ynddo—dim ond gorwedd fan honno yn ei wylio. Aeth munud hir heibio. Yna dechreuodd Walter Moses ei berswadio'i hun fod *rhaid* iddo godi a gadael y lle hwnnw ar unwaith, os nad oedd hi'n rhy hwyr.

Cododd ar ei benliniau. Ni symudodd yr un o'r tri oedd yn gorwedd yn eu hyd. Cododd Walter Moses ar ei draed. Dim symudiad. Dechreuodd gerdded ymaith. Yr eiliad nesaf roedd llaw wedi cydio'n ei figwrn a'i daflu i'r llawr.

Pan gododd ei wyneb o'r borfa gwelodd fod y tri dyn wedi codi ar eu traed. Yn awr safent uwch ei ben—yn edrych i lawr arno.

"Peidiwch chi rhoi llaw arna i," meddai, "rwy'n cynrychioli'r Gyfraith."

Er iddo geisio swnio'n awdurdodol, fel Bart Thomson, roedd ei lais yn wichlyd gan ofn. Cydiodd dwylo ynddo a'i godi'n drwsgl ar ei draed.

"Gwas y Gyfraith ydw i . . ." meddai Walter Moses eto.

Clywodd chwerthin distaw, yna llais pwyllog a di-gyffro'n dweud,

"Dewch gyda ni, gwas y Gyfraith."

Cydiodd dwylo cryfion yn ei war a'i wthio i lawr y llwybr o ben yr odyn yna ar hyd y ffordd at ddrws tafarn Glandon, lle roedd sŵn chwerthin a siarad yn uwch os rhywbeth erbyn hyn.

Fe geisiodd Walter wingo o afael y tri dyn oedd yn ei ddal. Ond gwthiwyd ef ar hyd y cyntedd i mewn i gegin y dafarn. Distawodd y chwerthin a'r siarad yn sydyn a throdd pawb ei ben i edrych ar y pedwar oedd newydd gyrraedd.

"Pwy yw hwn, 'te, Gomer?" gofynnodd dyn mawr garw yr olwg, a hanner meddw.

"'Sgen i ddim syniad. Fe ddisgynnodd yn ein canol ni pan oedden ni'n gwylio wrth yr odyn—fel ta fe wedi disgyn o'r nefoedd, wir i ddyn i chi!" meddai'r dyn Gomer. Chwarddodd sawl un, a Sami'r Clochydd bach, a oedd yn bresennol, yn uwch na neb.

Daeth y dyn bach ymlaen yn awr i edrych ar Walter Moses yn fwy manwl. "Wedi disgyn o'r nefoedd! Ha! Ha! Angel wyt ti, dwed?" gofynnodd gan brocio Walter yn ei frest â'i fys. Chwerthin mawr eto.

"Mae e'n dweud mai gwas y Gyfraith yw e," meddai Gomer wedyn.

Daeth Mari 'Fforin' o'r cefn.

"Gwas yr ecseisman wyt ti?" gofynnodd.

"Ie," atebodd Walter, "ac rwy'n eich rhybuddio chi . . ."

"Rhowch lasied o frandi iddo, Mari," meddai'r Clochydd, gan grawcian chwerthin eto.

"Ie! Ie!" gwaeddodd sawl un gyda'i gilydd.

Lledodd gwên araf dros wyneb tywyll y Llydawes. Aeth yn ôl i'r cefn a dychwelyd â photel ddu, drwchus yn un llaw a gwydryn yn y llall. Gwyliodd y lleill hi'n arllwys llond y gwydryn o frandi melyn ac yn ei estyn i Walter Moses. Gwyliai hwnnw hi'n syn. Fe deimlai chwant diferyn o frandi'r funud honno . . . ond . . . pam oedd y ddynes yma mor hael â *rhoi* brandi iddo ef . . ?

Derbyniodd y gwydryn o'i llaw ac yfodd lwnc o'r brandi. Fe deimlodd y ddiod yn dân yn ei stumog.

"Yf!" meddai'r dyn mawr, hanner meddw. Yfodd Walter y gweddill o'r brandi. Yna roedd Mari 'Fforin' yn ail-lenwi'r gwydryn o'r botel ddu.

"Yf!" meddai'r dyn mawr eto.

"Y . . . na . . . dim diolch . . . rwy'i wedi cael digon . . ."

"Yf!" Yfodd Walter eto.

"Rhowch le i'r gŵr bonheddig 'ma eistedd wrth y tân, fechgyn," meddai'r dyn mawr, "a rhowch dipyn rhagor i yfed iddo, Mari."

Arweiniwyd Walter Moses at y lle tân a chododd rhywun i roi lle iddo eistedd ar fainc o dan y lwfer fawr. Cafodd fod ei wydryn yn llawn eto. Safodd y Clochydd bach o'i flaen.

"Wel—yf dy frandi, fachgen! Mae hwnna'n stwff drud, cofia. Yf nawr tra bod ti'n cael cyfle."

"Y . . . na . . . rwy'i wedi cael digon . . . mae'n rhaid i fi fynd nawr . . ."

Roedd Walter yn dechrau teimlo effaith y brandi'n barod.

"Mynd! Mynd i ble?" gwaeddodd y dyn mawr yn fygythiol. Cododd Walter ei wydryn at ei enau drachefn.

Yn ddiweddarach ni allai Walter Moses gofio dim a ddigwyddodd iddo ar ôl gwagio'i drydydd gwydraid o frandi.

* * *

Gorweddai Bart Thomson ar ben y graig yn edrych i lawr ar bentre Cwmtydu yn y golau-leuad. Erbyn hyn roedd hi bron â bod yn benllanw. Gallai weld y lyger yn glir yn awr, yn rowlio yn y swel rhyw ganllath o'r lan. Pan oedd wyneb y lleuad heb gwmwl gallai weld y traeth yn fyw o bobol yn symud o gwmpas fel morgrug, a rhwng y lyger a'r lan roedd cychod bach yn mynd yn ôl ac ymlaen. Codai ambell waedd uchel o'r traeth islaw ond ar y cyfan roedd yr hyn oedd yn digwydd ymhell odano'n mynd ymlaen yn ddistaw. Yn uwch i fyny ar y traeth roedd rhes hir o bethau tywyll a phan dorrodd sŵn gweryru ar ei glustiau gwyddai mai merlod neu geffylau oedd y rheini. Y rhain oedd i gludo'r contraband i ffwrdd o Gwmtydu! I ble tybed? Pe bai'n gwybod hynny fe fyddai o help mawr iddo, meddyliodd. Ble roedd Walter Moses arni, meddyliodd wedyn. Penderfynodd fod rhaid iddo fynd i lawr i weld drosto'i hunan. Nid oedd ofn yr un dyn byw ar Thomson, ond fe gurai ei galon yn gyflymach wrth gamu i lawr yn ddistaw tuag at draeth Cwmtydu'r noson honno. Nid oedd ganddo unrhyw gynllun yn ei ben wrth fynd, ond pe bai'n gallu dal *un* yn unig o'r smyglwyr, meddyliodd, a gwneud i hwnnw siarad, fe fyddai wedi cael noson lwyddiannus.

Yr oedd y llwybr a gerddai yn awr yn serth iawn a phe bai'n colli ei droed unwaith, byddai'n disgyn ar ei ben dros y dibyn i'r traeth. Safodd i edrych o'i gwmpas i weld a oedd yna ffordd lai peryglus i lawr i'r gwaelod. Gwelodd rywbeth a edrychai fel llwybr ychydig i'r dde iddo. Ond wrth geisio croesi tuag ato dros wyneb y graig fe ryddhaodd garreg o dan ei droed. Clywodd hi'n disgyn ar gerrig y traeth islaw. Safodd yn ei unfan am dipyn. Tybed a oedd rhywun wedi clywed ei sŵn yn disgyn?

Cyrhaeddodd y llwybr yn ddiogel ac yn awr roedd hi'n haws o dipyn i gerdded nag oedd hi ar wyneb noeth y graig.

Yr oedd wedi cyrraedd yn agos iawn i'r traeth erbyn hyn. Synnodd weld cynifer o bobol yn rhuthro o gwmpas. Sylwodd fod merched a gwragedd a hyd yn oed rai plant yn eu mysg. Gwelodd ddynion cryfion yn dod i fyny o lan y môr a dwy gasgen ar ysgwyddau pob un, a'r plant a'r merched yn cario un gasgen yr un.

Synnodd weld faint o ferlod, a cheffylau hefyd, oedd yno ar ben y traeth yn cael eu llwytho â'r casgenni contraband. Er ei bod yn anodd rhifo'r cyfan, barnai fod yno yn agos i ddeugain o'r anifeiliaid yn un rhes hir, anniben. Fe wyddai yn awr fod smyglo *mawr* yn mynd ymlaen yng Nghwmtydu. Fe deimlai'n gynhyrfus iawn wrth weld yr holl gasgenni bach yn dod i'r lan—yn llawn o frandi, wrth gwrs! Aeth yn ofalus ymlaen ar hyd y llwybr tua'r traeth. Yna daeth at hollt yn y graig a rhywbeth tebyg i risiau garw trwy ei chanol yn arwain i'r traeth. Roedd hi'n dywyll yn yr hollt honno gan nad oedd golau'r lleuad yn treiddio iddi. Lle da iddo ef wylio heb gael ei weld, meddyliodd.

Ond bron yn union ar ôl iddo gyrraedd gwaelod y grisiau o fewn yr hollt fe glywodd sŵn o'r tu ôl iddo—sŵn traed trymion yn dod i lawr ar hyd y llwybr serth wrth ei gefn! Gwyddai ar unwaith eu bod yn dod tua'r hollt ac at y grisiau. Pwy oedd hwn neu y rhain? Ai rhywun, neu rywrai'n dod yn hwyr i'r helfa? Beth bynnag, fe sylweddolodd ar unwaith ei fod ef ei hun mewn sefyllfa gyfyng iawn. Ni allai fentro allan i'r traeth i'r golau leuad ac nid oedd amser bellach i gilio'n ôl i fyny'r llwybr o'r hollt. Daeth y sŵn traed yn nes. Erbyn hyn gallai glywed siarad isel hefyd. Roedd yno fwy nag un! Gwasgodd ei gorff yn erbyn y graig laith, gan obeithio yr âi pwy bynnag oedd yno heibio heb ei weld. Daeth traed trymion i lawr y grisiau garw. Deallodd yr ecseisman mai dau ddyn oedd yno. Ond cyn iddo sylweddoli dim rhagor na hynny fe deimlodd ysgwydd y dyn blaenaf yn taro yn ei erbyn.

"Beth . . ?" Safodd y dyn yn ei unfan. Estynnodd ei law a chyffwrdd â braich yr ecseisman.

"Pwy sy 'ma?" gofynnodd yn ddigon cyfeillgar. Oedodd Thomson cyn ateb. Ni wyddai beth i'w ddweud. Yna penderfynodd ddweud y gwir.

"Bart Thomson, ecseisman, ac yn enw'r Gyfraith rwy'n gofyn am eich help chi."

Yr eiliad nesaf disgynnodd rhywbeth trwm ar ei ben.

Pennod 8

Pan ddaeth Bart Thomson ato'i hunan roedd y lleuad yn gwelwi ymhell yn y gorllewin ac roedd llwydni'r wawr yn y dwyrain. Fe deimlai'n oer ac yn boenus drosto'i gyd. Ond yn ei ben yr oedd y cur gwaethaf. Am foment ni allai gofio beth oedd wedi digwydd iddo ac ni wyddai ble'r oedd.

Yn araf bach deallodd ei fod yn gorwedd ar gerrig llyfn, llaith. Cododd ar ei eistedd ac edrych o'i gwmpas. Gwelodd gychod llonydd, ac obry—ymhell oddi wrtho—y môr. Clywodd sŵn—sŵn chwyrnu uchel. Edrychodd a gwelodd mai Walter ei was oedd yno yn gorwedd yn ei ymyl. Roedd e'n cysgu'n drwm! Plygodd Thomson drosto a'i ysgwyd. Daeth aroglau cryf brandi i'w ffroenau. Roedd e'n feddw fawr! Cododd yn ansicr ar ei draed. Yn awr teimlodd ei ben ar fin hollti. Gwyddai erbyn hyn ei fod ar draeth Cwmtydu. Nid oedd yr un enaid byw i'w weld yn un man. Roedd y ffenestri i gyd yn dywyll a phobman yn ddistaw fel y bedd. Yna cofiodd yn sydyn am y lyger. Trodd ei ben ac edrych i gyfeiriad y môr. Nid oedd sôn amdani yn unman! Fe deimlodd rhyw ddicter a ffyrnigrwydd mawr yn cronni tu fewn iddo. Roedd smyglwyr Cwmtydu wedi cael y gorau arno. Yn waeth na hynny, roedden nhw wedi mentro ymosod arno ef, cynrychiolydd y Gyfraith! Fan honno ar y traeth unig, yn oriau mân y bore, fe dyngodd lw y byddai'n dial. Estynnodd gic greulon ar ben-ôl ei was. Tawodd y chwyrnu a gwelodd Walter yn dechrau ystwyrian. Roedd e wedi codi ei droed i roi cic arall pan agorodd Walter ei lygaid a chodi ar ei eistedd.

"O-o-o!" meddai'r truan gan gydio yn ei ben â'i ddwy law.

Tynnodd Thomson ef yn drwsgl ar ei draed.

"Wedi meddwi 'to, Walter?" meddai rhwng ei ddannedd.

"Ond, Mister Thomson, fe ges i 'nghorfodi i yfed . . ."

"Dy orfodi, Walter? Doedd dim eisie dy orfodi di, does bosib!"

Yna roedd Walter Moses wedi adrodd y cyfan o'r hyn oedd wedi digwydd iddo ar ôl cyrraedd pentre Cwmtydu.

Pan gyrhaeddodd y ddau yn ôl yn Llangrannog yr oedd hi'n dyddio'n gyflym ac roedd morynion y 'Llong' ar eu traed. Ni fuont yn hir yn paratoi brecwast i'r ddau, ac ar ôl bwyta hwnnw aeth y ddau i fyny'r grisiau ac i'r gwely.

Ond cyn amser cinio roedd Bart Thomson ar ei draed eto ac yn galw am bapur ac inc yn ei ystafell. Am awr gyfan bu'n sgrifennu ar y bwrdd bach yn ymyl ei wely. Ar ôl iddo orffen roedd ganddo ddau lythyr yn barod i'w selio. Roedd un wedi ei gyfeirio at Brif Swyddog y Barics yn Aberteifi, a'r llall at yr Awdurdodau yn Llundain. Yn y cyntaf roedd e'n gofyn am filwyr i'w helpu i gael gwared o'r smyglo mawr oedd yn mynd ymlaen yng Nghwmtydu, ac yn y llall roedd e wedi rhoi adroddiad llawn o'r hyn oedd wedi digwydd iddo ef a'i was er pan gyraeddasant y rhan honno o'r wlad.

Ar ôl cinio, gyrrodd Walter ar gefn ei geffyl am Aberteifi a'r ddau lythyr gydag ef.

Ar ôl i Walter Moses ymadael bu'r ecseisman yn eistedd yn hir wrth y tân yn y stafell gefn. Nid oedd neb yno ond efe 'i hun. Tynnodd ei law'n ysgafn dros y lwmp tyner, poenus oedd ganddo ar ei gorun. Roedd smyglwyr Cwmtydu yn bobol hollol anghyfrifol, meddyliodd, heb ronyn o barch tuag at y Gyfraith na'r rhai oedd yn ei chynrychioli. Fe allai'r ergyd ar ei ben fod wedi ei ladd. Yr hyn oedd wedi ei synnu'r noson gynt serch hynny, oedd yr holl bobl a'r holl geffylau oedd o gwmpas, a'r swm mawr o gontraband oedd wedi dod i dir! A doedd e ddim wedi gweld y cyfan wedyn, gan ei fod yn gorwedd yn ddi-ymadferth ar y traeth am oriau. Pwy oedd yn trefnu'r holl beth? Ac i ble'r oedd yr holl gontraband yn mynd? Canodd y gloch.

Daeth y tafarnwr i mewn.

"A! Mister Prydderch," meddai, "fedrwch chi roi munud neu ddwy o'ch amser i fi os gwelwch chi'n dda?"

"Wrth gwrs, syr."

"Diolch. Rwy'n cymryd eich bod chi'n ddyn sy'n parchu'r Gyfraith . . . ?"

"Wrth gwrs, Mister Thomson . . . dwy'i ddim yn deall . . ?"

"Ac rwy'n cymryd eich bod chi'n barod i helpu'r rhai sy'n cynrychioli'r Gyfraith—pobol fel fi?"

"Yn wir, hyd eitha fy ngallu, ond . . ."

"Eisteddwch ar y gadair fan hyn. Mae arna i eisiau gwybodaeth . . ."

"Ond pa wybodaeth all fod gen i, syr?" Roedd peth dychryn yn llygaid y tafarnwr.

"Rŷch chi'n ddyn lleol, ac yn dafarnwr. Mae'n rhaid eich bod chi'n clywed siarad yn y taprwm pan fydd rhywrai wedi yfed gormod . . . rhyw air fan hyn a fan draw?"

"Wel . . ."

"Pwy sy'n arwain smyglwyr Cwmtydu, landlord?"

"Fedra i ddim . . . wn i ddim byd, wir i chi . . . mae'n well gen i beidio â gwybod."

'Ond rŷch chi wedi clywed sibrydion—mae'n rhaid eich bod chi, ddyn!"

Ni ddywedodd y tafarnwr ddim, dim ond gwingo'n anesmwyth yn ei gadair.

"Landlord," meddai'r ecseisman, "rwy'n gofyn i chi—yn enw'r Gyfraith—am wybodaeth. Rwy'n gwybod y medrwch chi'n helpu i. Nawr, os ydych chi'n gwrthod helpu . . ."

"Na, nid hynny, Mister Thomson, wir i chi."

"Pwy yw e? Dewch ag un enw i fi." Pwysodd yr ecseisman ymlaen wrth ddweud hyn.

"Fentra i ddim, syr, wir . . ."

"Fentrwch chi ddim? Rŷch chi *yn* gwybod felly?"

Gwyddai'r tafarnwr tew ei fod wedi rhoi ei droed ynddi.

"Wel?" Roedd yr ecseisman yn daer yn awr.

"Rwy'i wedi clywed sibrwd enw . . . dyna'i gyd, wir i chi."

"Beth yw e?"

"Siôn Cwilt."

Tynnodd yr ecseisman anadl o ryddhad. O'r diwedd roedd ganddo fe enw.

"Siôn Cwilt?" meddai wedyn, yn syn. "Mae hwnna'n enw rhyfedd iawn, Landlord, ydy e ddim?"

"Ydi. A . . . mae'n ddrwg gen i fedra i ddweud dim rhagor wrthoch chi, Mister Thomson. Dwy'i ddim yn nabod y dyn nac wedi'i weld e erioed. Wn i ddim ble mae e'n byw na dim byd . . . dim ond wedi clywed 'i enw fe."

"Dyw e ddim yn byw yng Nghwmtydu, felly?"

Ysgydwodd y tafarnwr ei ben.

"Sut y gwyddoch chi hynny?"

"Ond rwy'n nabod pobl Cwmtydu . . . does 'na 'run Siôn Cwilt yn byw 'na."

"Falle mai enw mae rhywun o Gwmtydu'n ei ddefnyddio'r nos pan fydd smyglo'n mynd ymlaen, yw e? Dŷch chi ddim yn meddwl?"

Ysgydwodd y tafarnwr ei ben ond ni ddywedodd air.

"A beth am blant Mari 'Fforin', Landlord?"

"Ie wir, Mister Thomson! Diolch byth mai yng Nghwmtydu mae nhw'n byw ac nid yn Llangrannog!"

"Oes ganddyn nhw ran yn y smyglo 'ma?"

"O synnwn i fawr! Mae'r rheina wrth bob math o felltith er pan oedden nhw'n blant. Mae sôn amdanyn nhw."

"Faint o stafelloedd rhydd sy gyda chi yma, Landlord?"

"Stafelloedd gwely, syr?"

"Ie."

"Dim ond un ar wahân i'ch rhai chi a'ch gwas, Mister Thomson."

"Rwy'i am i chi beidio gosod yr ystafell wag i neb. Mae gen i rywun yn dod o Aberteifi i'w chymryd hi."

"Ga i ofyn pryd mae e'n dod, syr?"

"Rwy'n disgwyl y bydd e 'ma erbyn nos yfory. Swyddog yn y Dragŵns yw e. Ac fe fydd arnon ni eisie lle i ryw ddwsin o filwyr . . . a'u ceffylau."

"Rwy'n ofni na fedrwn ni yma ddim . . ."

"Fe gawn ni weld. Faint o le sy'n eich stablau chi, Landlord?"

"O, mae'r stablau'n ddigon—wel—fe allen ni gymryd y ceffylau i gyd rwy'n meddwl . . . ond y . . ."

"Ie?"

"Wel, syr, fe fydd rhaid i fi gael 'y nhalu . . ."

"Wrth gwrs. A nawr, un cwestiwn arall. Beth am y daflod uwch ben y stablau? Fedren ni, gyda thipyn o wellt a blancedi, roi dwsin o filwyr mewn fanny?"

"Wel, fe fydd rhaid clirio'r daflod . . . ond wedyn . . . rwy'n meddwl . . ."

"Dyna hwnna wedi'i setlo felly 'te. Diolch yn fawr iawn i chi."

Cododd y tafarnwr ar ei draed. Hanner y ffordd i'r drws fe safodd a throi'n ôl.

"Y . . . y . . . milwyr, syr, dwy'i erioed wedi cael milwyr yn y lle 'ma o'r blaen . . . fyddan nhw'n ymddwyn yn iawn?"

"Fe fydd y Swyddog yn gofalu am hynny, Landlord."

Ar ôl i'r tafarnwr ymadael a chau'r drws, bu'r ecseisman yn myfyrfio'n hir o flaen y tân. Meddyliai am yr enw rhyfedd roedd y tafarnwr wedi ei roi iddo . . . Siôn Cwilt!

Pennod 9

Trannoeth y noson fawr pan laniwyd llond lyger o gontraband ar draeth Cwmtydu, roedd Liwsi, merch Mari 'Fforin', yn brysur yng nghegin hen dafarn Glandon. Er mai Lucille fyddai ei mam yn alw arni bob amser bron— Liwsi oedd hi gan bawb yng Nghwmtydu. Roedd hi'n ugain oed ac yn eneth eithriadol o dlws—gwallt du, gloyw a hwnnw'n donnog, llygaid duon a'r rheini'n edrych fel pe taen nhw'n synnu at rywbeth o hyd. Byddai Liwsi Glandon yn sefyll allan mewn unrhyw gwmni ac mewn unrhyw fan; yn nhafarn Glandon roedd hi'n troi pen pob llanc a ddeuai ar gyfyl y lle.

Roedd Etifedd y Glasgoed, cyn iddo fe fynd i ffwrdd i Lundain wedi bod yn rhoi mwy o sylw i ferch Glandon nag oedd wrth fodd ei dad, medden nhw. Ond doedd neb wedi meddwl fod yr Etifedd o ddifri chwaith. Wedi'r cyfan ni fyddai bechgyn Gwŷr Mawr byth yn priodi merched tafarnau a'u tebyg!

Ond roedd Liwsi wedi cael cynnig un neu ddau o feibion rhai o'r ffermydd mawr o gwmpas Cwmtydu, serch hynny, ac wedi eu gwrthod.

Roedd hi'n brysur yn paratoi pastai fwyar duon ar fwrdd y gegin. Roedd hi wedi casglu mwyar ola'r hydre o gwmpas yr odyn y diwrnod cynt ac yn awr arllwysodd bentwr du o'r ffrwyth ar ben y toes mewn dysgl fawr. Yna rhoddodd haen denau o does dros y cyfan.

Nid oedd ei mam na'i brodyr wedi codi eto gan fod pob un ohonynt wedi bod ar eu traed yn hwyr iawn y noson gynt. Roedd Pierre a Seimon, ei brodyr hynaf, wedi dod gyda'r lyger y noson gynt, ond nid oeddynt wedi dychwelyd gyda hi i Roscoff pan hwyliodd hi o Gwmtydu yn oriau mân y bore. Roedd yna gytundeb rhyngddyn nhw a'i capten mai bob yn ail fordaith y bydden nhw'n hwylio gydag ef i mofyn y contraband. Ac yn awr roedd y ddau'n cysgu'n drwm ar y llofft, a phan ddeuai amser cinio, gwyddai Liwsi y byddai rhaid wrth bastai fwyar go fawr i ddigoni pawb!

Agorodd ddrws y ffwrn, a oedd yn boeth erbyn hyn, a gwthiodd y bastai i mewn a chau'r drws. Yna edrychodd arni ei hun yn y drych uwch ben y lle tân. Gwelodd fod smotyn gwyn o flawd ar ei boch. Yr oedd hi'n rhwbio hwnnw ymaith pan glywodd sŵn traed yn dod i mewn i'r taprwm.

"Hylo 'ma!" gwaeddodd llais. Roedd e'n swnio'n gyfarwydd. Crychodd Liwsi ei thalcen. Nid oedd hi'n awyddus i dendio cwsmeriaid â chwrw yr amser hwnnw o'r bore oherwydd fod ganddi ddigon i'w wneud yn y gegin.

Aeth trwodd i'r taprwm. Safai dyn ifanc, cryf yr olwg, a'i gefn tuag at y grât oer. Crychodd Liwsi ei thalcen eto, oherwydd roedd hi'n ei adnabod yn dda, ac wedi cael llawer o'i phoeni ganddo yn y gorffennol. Wil Gaer Ddu ydoedd, unig fab un o ffermydd mawr yr ardal uwchben Cwmtydu.

"Hylo, Liwsi, dwyt ti ddim yn edrych yn falch iawn o 'ngweld i bore 'ma. Be sy'n bod?"

"Dim, ond bod gen i waith i' neud yn y gegin, Wil. Wyt ti eisie cwrw neu rywbeth?"

"Ie, tyn beint i fi, cariad." Cydiodd Liwsi mewn pot pridd ac aeth at y gasgen. Trodd y tap a llifodd y ddiod frown i'r llestr. Yna aeth ag ef i Wil.

"Noson fawr neithiwr, Liwsi, ontefe?"

"Ie."

"Fi drawodd yr ecseisman 'na ar 'i ben, wyt ti'n gwbod. Roeddwn i'n dod lawr—y gwas a finne—i helpu."

"Roeddech chi'n hwyr yn dod. Beth cadwodd chi?"

"Mae'n dda hynny, 'nghariad i, wyt ti ddim yn meddwl? Oni bai ein bod ni'n hwyr fe fydde'r ecseisman wedi gweld y cwbwl."

"Maen nhw'n dweud nad yw dy galon di ddim yn y gwaith."

"Smyglo? Eitha gwir, cariad. Mae 'nghalon i gyda ti, Liwsi."

Gwenodd wên seimllyd arni dros ben ei bot cwrw.

Ysgydwodd Liwsi ei phen tlws yn ddiamynedd.

"Dwy'i ddim yn mynd i aros fan hyn i wrando arnat ti'n siarad felna, Wil," meddai. Trodd i fynd yn ôl i'r gegin gefn.

"Aros!" meddai'r ffermwr.

"Wel?"

"Pwy yw Siôn Cwilt, Liwsi?"

"Wn i ddim."

"Ond fe weles i di'n siarad ag e neithwr yn ymyl yr odyn."

Daliodd Liwsi ei hanadl. Sylweddolodd yn awr fod Wil Gaer Ddu wedi bod yn gwylio pob symudiad o'i heiddo y noson gynt.

"Siarad ag e, do rhyw air neu ddau, Wil. Ond weles i ddim mo'i wyneb e."

"Roeddech chi mor glòs at eich gilydd â chariadon."

Lledodd gwrid dros wyneb Liwsi.

"Rhag dy gwilydd di'n dweud y fath beth! Mae Siôn Cwilt yn hen a dim ond un llygad sy gydag e!"

"Pwy sy'n gwbod faint yw 'i oed e, na sawl llygad sy gydag e, Liwsi? Mae e'n cuddio'i wyneb a dyw e byth o gwmpas ar olau dydd."

"Dwy'i ddim yn mynd i aros fan hyn i ddadle â ti, Wil. Mae gwaith yn y gegin yn 'y nisgwyl i." Swniai'n benderfynol y tro hwn.

"Aros funud, cariad, dwy'i ddim wedi talu am y cwrw 'ma eto."

Tynnodd geiniog o'i boced a'i hestyn i Liwsi. Daeth hithau ato i'w mofyn. Ond cyn gynted ag y daeth o fewn hyd braich iddo, cydiodd ynddi'n sydyn a'i thynnu ato.

"Beth am gusan bach nawr 'te, Liwsi?" meddai, gan ei gwasgu'n dynn at ei fynwes.

"Gad fi'n rhydd! Wil! Gad fi'n rhydd, mewn munud, neu rwy'n mynd i weiddi ar Pierre a . . ."

Llwyddodd Wil i'w chusanu ar ei gwefusau. Gwingodd hithau'n ffyrnig i geisio dianc o'i afael. Chwarddodd y ffermwr.

"Nawr, Liwsi 'nghariad i, paid ti ceisio 'nychryn i trwy weiddi ar dy frodyr. A beth yw'r gwingo sy arnat ti? Ydy mab Gaer Ddu ddim yn ddigon da i ti? Hym? Dwyt ti ddim yn meddwl o hyd y medri di ddala 'Tifedd y Glasgoed wyt ti?"

Llonyddodd Liwsi yn ei freichiau. Fe deimlai gymaint o ddicter tuag ato yn cronni tu mewn iddi fel na allai symud gewyn am foment. Meddyliodd yntau mai ildio iddo ef yr oedd hi. Plygodd i roi cusan arall iddi. Ond cyn iddo lwyddo roedd Liwsi wedi rhoi sgrech uchel dros y lle i gyd.

Fe fu'r sŵn yn gymaint o sioc i Wil fel y llaciodd ei afael. Neidiodd yn rhydd o'i freichiau. Camodd yn ôl oddi wrtho â'r dagrau loyw yn ei llygaid. Yna roedd Pierre yn sefyll yn y drws, heb ddim ond ei drowsus amdano. Roedd ei wyneb a'i gorff yn frown fel copr.

"Beth sy'n bod, Liwsi?" gofynnodd, gan edrych yn wgus ar y ffermwr ifanc.

Edrychodd Liwsi'n ofnus arno. Gwyddai am ei gryfder a'i dymer ddrwg. Pe bai hi ddim ond yn dweud y gair fe fyddai'n hanner lladd Wil Gaer Ddu—neu—meddyliodd, fe fyddai Wil yn ei hanner ladd ef, oherwydd yr oedd y ffermwr ifanc yn glorwth o ddyn cryf hefyd.

"Dim, Pierre," meddai, "dim."

Edrychodd Pierre o'r naill i'r llall. "Wyt ti'n siŵr nad yw hwn ddim wedi bod yn dy boeni di?" gofynnodd.

"Na," atebodd Liwsi, a rhedeg allan o'r ystafell ac i'r gegin.

"Gofala na fydda i'n dy ddala yn poeni'r eneth 'na, Wil," meddai Pierre yn fygythiol.

"Wyt ti'n ceisio codi dychryn arna i, Pierre?" gofynnodd Wil.

"Dim ond dy rybuddio di, dyna i gyd." Gwthiodd y morwr ei ddau fawd i mewn i wregys ei drowsus. Roedd rhyw wên fileinig o gwmpas ei lygaid. Bron nad oedd e'n edrych fel y diafol ei hunan. Roedd hi'n amlwg ei fod yn ysu am weld y siarad yn mynd yn daro. Roedd hyn yn rhywbeth a oedd yn nodweddiadol o fechgyn Mari 'Fforin' bob un—rhyw barodrwydd i gweryla ac ymladd ar yr esgus lleiaf. Dyna pam yr oedd ganddyn nhw enw drwg ym mhobman.

"Dwy'i ddim am dy weld ti o gwmpas Liwsi 'ma 'to, Wil," meddai Pierre eto, yn bryfoclyd.

"Pam? Ydw i ddim yn ddigon da iddi?" Roedd wyneb y ffermwr yn goch sarrug.

"Wel . . ." meddai Pierre, gan hanner-chwerthin, "mae hynny wrth gwrs . . . ond mae 'na reswm arall."

"Beth yw e?"

"Mae 'na rywun gwell na ti, Wil." Roedd e'n wên o glust i glust yn awr.

Pwysai ar wal y taprwm gan wylio'r ffermwr yn graff. Gwelodd rywbeth yn mynd allan o lygaid Wil Gaer Ddu. Trodd y ffermwr a mynd am y drws heb yr un gair arall, a sŵn chwerthin Pierre yn ei ddilyn allan i'r awyr agored.

Yna roedd Mari 'Fforin' yn sefyll yn nrws y taprwm.

71

"Pierre," meddai, "rwyt ti wrth dy dricie'n fore rwy'n gweld. Pam y dwedest ti gelwydd felna wrtho fe?"

"Ond roedd e'n poeni Liwsi!"

"Pan fydd Liwsi eisie dy help di, Pierre, fe fydd hi'n gofyn amdano fe rwy'n siŵr. Mae digon o elynion gyda ni'n barod, Pierre, heb i ti fynd ati i neud rhagor. Rwy i'n nabod Wil Gaer Ddu . . . roeddwn i'n nabod 'i dad o'i flaen e. Mae gwaelod cas yn y teulu 'na. Peth arall, mae Wil yn ein helpu ni . . . fe drawodd yr ecseisman ar 'i ben neithwr."

"O?" Edrychai Pierre fel pe bai peth edifar ganddo.

"Ba!" meddai Mari, "dos i'r llofft yr hen ffŵl, i wisgo amdanat."

* * *

Wrth ddringo'r rhiw ar gefn ei geffyl allan o Gwmtydu roedd golwg gynhyrfus iawn ar wyneb Wil Gaer Ddu. Roedd yna rywun arall felly! Pwy? Doedd e ddim wedi gweld na chlywed sôn am neb er pan aeth Etifedd y Glasgoed i ffwrdd i Lundain gynt. Yn ei ffordd arw roedd Wil yn caru Liwsi Glandon ers amser bellach, ac roedd e wedi disgwyl yn amyneddgar y byddai hi'n dod i'w garu yntau. Ond yn awr dyma Pierre wedi dweud fod yna rywun arall.

"Chaiff neb arall mohoni, myn diawl!" meddai'n uchel gan roi sbardun sydyn i'r ceffyl.

Pennod 10

Aeth wythnos heibio. Erbyn hynny roedd pobl a phlant pentre bach Llangrannog wedi dechrau cynefino â'r rhyfeddod o gael milwyr yn eu cotiau cochion a'u trowsus lliw hufen o gwmpas y lle. Hefyd roedd y bobl a drigai yn y tai ar fin y ffordd rhwng Llangrannog a Chwmtydu wedi cynefino â'u gweld yn mynd heibio bob dydd, yn fintai lachar ar gefnau eu ceffylau, rhwng y ddau le. Ond roedd y milwyr, dan arweiniad eu capten golygus, sef Capten Phillips, yn dal yn destun siarad rhwng pob dau yn yr ardal o hyd.

Erbyn hyn roedd y milwyr, a'r ddau ecseisman, wedi chwilio pob twll a chornel yng Nghwmtydu am gontraband, ond yn rhyfedd iawn, heb gael dim. Nid oeddynt wedi llwyddo i gael dim yn seleri hen dafarn Glandon hyd yn oed, er iddynt chwilio yno'n fanylach nag unman!

Roedd Bart Thomson wedi holi pawb a welai am ragor o wybodaeth am y dyn a elwid yn Siôn Cwilt, ond nid oedd wedi cael yr un enaid byw yng Nghwmtydu i ddweud yr un gair am y creadur rhyfedd hwnnw.

Gwyddai'r ecseisman bellach y byddai rhaid aros nes deuai'r lyger drachefn â'i llwyth o gontraband i Gwmtydu, cyn y gallai wneud dim. Pe gallai ef gael gwybod pryd roedd hi'n cyrraedd, yna fe allai, gyda chymorth y milwyr, ddal o leiaf rai o'r smyglwyr. Dyna pam y byddai ef yn dringo i ben y clogwyn â'i delisgop yn ei law, bob prynhawn ar ôl cinio, i chwilio'r môr yn fanwl am y lyger.

Aeth tridiau arall heibio a throdd y tywydd yn wlyb ac yn oer. Chwyrlïai niwl a glaw mân i mewn dros y tir o'r môr. Roedd yr hydref a'r dyddiau braf wedi dod i ben, a gwyddai pobl Cwmtydu eu bod yn awr yn wynebu'r gaeaf a'i dywydd garw, tywyll.

Sbardunodd Bart Thomson ei geffyl i fyny'r rhiw serth tuag at yr eglwys lwyd a safai fry ar ben y bryn uwchlaw Cwmtydu. Roedd e wedi cael cyfle i gwrdd â'r Parchedig John Dafis, Ficer y plwy, ond nid oedd wedi holi digon arno, meddyliodd. Os oedd unrhyw un yn gwybod am y smyglwyr, y Ficer oedd hwnnw, waeth roedd y rhan fwyaf o bobl y pentre'n aelodau yn ei eglwys, ac efallai'n mynd â'u cwyn a'u cyffes iddo ef yn bur aml. Ac os oedd yna rywrai yn y pentre a oedd yn parchu'r Gyfraith, yna fe ddylai Ficer y plwy fod yn un o'r rheini!

Daeth at ddrws yr hen ficerdy a safai yn ymyl yr eglwys a disgynnodd oddi ar gefn ei geffyl. Rhaid bod y Ficer wedi ei weld yn dod, oherwydd cyn i'r ecseisman gael cyfle i guro—dyma'r drws yn agos.

"A! Mister Thomson, bore da, syr, bore da!" Meddyliodd Thomson hefyd ei fod yn edrych yn fwy tebyg i ffermwr nag i offeiriad! Yr oedd gwên ar ei wyneb crwn wrth gyfarch yr ecseisman.

"Dewch i'r tŷ, syr 'da chi. Mae'r tywydd wedi oeri, ac mae'r hen niwl 'ma'n gwlychu. Dewch i'r tŷ at y tân."

Dilynodd yr ecseisman ef i mewn i'r ficerdy ac i ystafell glyd â silffoedd llyfrau o'i chwmpas i gyd. Llosgai tân braf yn y grât.

"Eisteddwch. Gymrwch chi lasied o rywbeth, syr?"

Gwenodd Bart Thomson. "Mae'n dibynnu—glasied o beth, Ficer?"

Gwenodd y Ficer hefyd. "Mae gen i ddiferyn o frandi . . ." meddai.

"A!" meddai'r ecseisman, gan ddal i wenu, "mae hynna'n fy atgoffa i—dydyn ni ddim wedi chwilio'r ficerdy . . ."

"Mae croeso i chi wneud, Mister Thomson—y funud 'ma."

Chwarddodd Thomson. "Na, Ficer, fe gymra i'ch gair chi."

"Ond dydw i ddim wedi rhoi 'ngair, Mister Thomson . . ." Roedd y Ficer yn chwerthin hefyd yn awr.

"Ba!" meddai Thomson yn fwy difrifol, "dewch—rwy'i am eich holi chi'n fwy manwl ynghylch rhai o'ch plwyfolion . . . fe garwn i pe baech chi'n ein helpu ni. Mae'n siŵr gen i eich bod chi'n nabod eich pobol yn ddigon da i allu dweud wrthon ni pwy sy'n smyglo . . ."

Roedd y Ficer wedi symud at gwpwrdd bach derw ym mhen pella'r ystafell. Yn awr tynnodd allan botel ddu a dau wydryn. Arllwysodd dipyn bach o'r brandi euraid i'r ddau.

Derbyniodd yr ecseisman y gwydryn o'i law heb yr un gair.

"Wel nawr," meddai'r Ficer, gan eistedd gyferbyn ag ef, "y . . . mae'n rhaid i fi dderbyn y ffaith fod yna smyglo'n mynd ymlaen yng Nghwmtydu 'ma . . . ac mae'r ffaith yn boen i fi, Mister Thomson—i feddwl fod rhai o'r dynion sy'n dod i'r eglwys 'ma bob Sul, efallai yn smyglwyr ac yn bobol sy'n torri'r Gyfraith . . . ond, yn wir i chi, wn i ddim pwy ydyn nhw . . ."

"O dewch nawr, Ficer," meddai'r ecseisman yn ddiamynedd, "peidiwch â dweud wrthon ni nad oes gyda chi ddim syniad pwy yw'r smyglwyr . . ."

Cododd y Ficer ei law, gan wenu eto.

"A! ddwedes i ddim mo hynny, syr. Fe all fod gen i *syniad* go lew . . . ond does gen i ddim *praw* . . . a chymrwn i ddim mo'r byd am ddweud wrthoch chi . . . 'rwy'n credu fod hwn a hwn yn smyglwr'. O na, wnâi hynny ddim mo'r tro o gwbwl."

"Dŷch chi ddim yn barod i'n helpu ni?"

"Ydw yn wir, syr—yn barod iawn i'ch helpu chi hyd

eithaf fy ngallu . . . ond peidiwch â gofyn i fi *enwi* neb, nes bydd gen i sicrwydd . . ."

"Pwy yw Siôn Cwilt?"

Disgynnodd distawrwydd rhyngddynt. Ciliodd y wên oddi ar wyneb yr offeiriad a chymerodd lwnc cyflym o'r brandi.

"Wel?" meddai Thomson.

"Mae'n ddrwg gen i, syr, ond does gen i ddim syniad."

"Ond rŷch chi wedi clywed yr enw?"

"Y . . . do . . . rwy'i wedi'i glywed e, Mister Thomson."

"Wel, pwy yw e?"

Ysgydwodd y Ficer ei ben.

"Ydy e'n rhywun o'r pentre 'ma, Ficer?"

Ysgydwodd yr offeiriad ei ben eto.

"Nady?"

"Na, dwy'i ddim yn meddwl . . . does na neb o'r enw 'na . . ."

"Ond enw ffug yw hwnna, Ficer, dŷch chi ddim yn meddwl?"

"Efalle wir . . . ond dwy'i ddim yn meddwl mai neb o'r pentre 'ma yw e."

"Rhywun sy'n dod 'ma, felly, i mofyn y contraband. Ac mae e'n defnyddio merlod i gludo'r cyfan . . . i ble?"

Ysgydwodd y Ficer ei ben unwaith eto.

"Dyna lle gallech chi ein helpu ni, Ficer," meddai'r ecseisman wedyn.

"Fi?"

"Ie. Mae 'na rywrai ymysg y bobol sy'n dod atoch chi i'r eglwys ar y Sul yn gwybod pwy yw Siôn Cwilt. Nid yn unig hynny, ond maen nhw'n gwybod ble mae e'n mynd â'r contraband."

"Ond rwy'n deall eich bod chi wedi holi pawb . . ."

"Do, a hynny heb fod ronyn callach yn y diwedd. Ond

fe ddweden nhw wrthoch chi, Ficer. Dyna pam rwy'n gofyn i chi ein helpu ni."

"Ond . . ."

"Fe ddwetsoch funud yn ôl fod y ffaith fod smyglwyr ymysg eich plwyfion—yn boen i chi, Ficer. Dyma'r ffordd i roi terfyn ar y torri cyfraith 'ma yng Nghwmtydu. Dewch â gwybod i mi pwy yw Siôn Cwilt a sut mae cael ein dwylo arno fe. Mae'n amlwg i fi erbyn hyn mai fe yw tad y drwg yn yr holl fusnes. Pan ddaliwn ni Siôn Cwilt, dyna ben ar y smyglo yng Nghwmtydu . . . ac fe alla i a Capten Phillips a'i Ddragŵns ymadael â'r lle 'ma a gadael llonydd i chi, bobol Cwmtydu . . ."

Cododd ar ei draed a rhoi ei wydryn gwag ar y bwrdd. "Meddyliwch am y peth, Ficer. Fe fydda i'n galw eto i gael gair â chi. Roedd y brandi'n ardderchog."

"Diolch," meddai'r Ficer, gan godi hefyd. "Ie galwch eto ar bob cyfri; fe fydd croeso . . ." Torrodd Thomson ar ei draws wrth symud at y drws. "Pryd y gallwn ni ddisgwyl y lyger yn 'i hôl, dwedwch?" gofynnodd. Cododd y Ficer ei ddwylo.

"Pryd y myn y daw,
Fel yr heulwen a'r glaw . . ." meddai, gan estyn ei law fawr i'w ymwelydd.

Pan ddaeth Bart Thomson allan o'r ficerdy roedd y niwl wedi codi am dipyn, a'r glaw wedi peidio. *A dyna lle'r oedd hi o flaen ei lygaid*, ddim mwy na milltir o'r lan—y lyger! Edrychodd yn graff ar ei ffurf du yng nghanol llwydni'r môr a'r awyr. Roedd ei hwyliau i lawr a gwyddai ei bod yn loetran yn y bae—yn disgwyl am y nos a'r penllanw. Fe deimlai'n gynhyrfus wrth fynd yn ôl tua'r pentre. Dyma'r disgwyl trosodd a'r cyfle i weithredu wedi dod! Erbyn hyn fe wyddai Thomson hynt y trai a'r llanw yn ardaloedd Cwmtydu a Llangrannog a gwyddai y byddai'r penllanw'r noson honno'n gynnar—tua hanner awr wedi wyth. Erbyn hynny byddai ef a'i filwyr yn barod am y smyglwyr a'u harweinydd Siôn Cwilt!

Ar ôl i'r ecseisman a'i geffyl ddiflannu i lawr y rhiw, cododd dyn ifanc, lluniaidd o'i guddfan ymysg y cerrig beddau ym mynwent yr eglwys a cherdded yn gyflym a llechwraidd at ddrws cefn y ficerdy. Agorodd hwnnw iddo heb orfod ei guro.

Ymhen hanner awr roedd y gŵr ifanc wedi sleifio allan eto a chychwyn ei ffordd trwy'r fynwent i lawr am y pentre, gan ddilyn rhyw lwybr igam-ogam trwy'r eithin a'r rhedyn crin. Daeth allan i'r ffordd gyda chefn yr odyn galch i lawr ar lan y môr. Yna cerddodd yn ddidaro nes cyrraedd tafarn Glandon. Aeth trwy'r taprwm ar ei union i'r gegin gefn, lle roedd Mari 'Fforin' yn ei ddisgwyl.

"Emil!" meddai'n isel, "fe fuost ti'n hir. Rown i'n dechre meddwl . . ."

"Ba, Mama! Rŷch chi'n rhy barod i ofidio . . ."

"Beth yw'r orchymyn? Ydy e am yrru'r lyger i ffwrdd?"

"Na."

"Yr Ogof?"

"Ie. Mae e am i ni roi gwbod i bawb. Fe fydd y lyger yn glanio'r brandi mewn casgenni wedi eu clymu wrth 'i gilydd, mor agos ag sy'n bosib at enau'r Ogof. Mae e am i'r lleill ofalu na fydd neb yn 'u gweld nhw'n mynd i gyfeiriad yr Ogof. Mae pawb i gadw draw nes bydd hi'n nos."

"*Mon Dieu!* Fe fydd hi'n beryglus i fynd lawr dros y creigie 'na yn y tywyllwch!"

"Ddim i fi, Mama. Fe allwn i fynd lawr i Ogof y Lleisie â'm llygaid ynghau."

Edrychodd ei fam yn feddylgar arno.

"*Ogof y Lleisie!*" meddai, "dwy'i erioed wedi bod ynddi . . . sut le yw e, Emil?"

"Ba! Dim ond ogof, Mama—fel pob ogof arall bron—
ond bod hi'n mynd mewn ymhell i grombil y ddaear."

"Oes *lleisie*?"

"Oes."

"Lleisie pwy?" Edrychodd y ddau ar ei gilydd.
Ysgydwodd Emil ei ben.

"Wn i ddim, Mama."

"Wyt ti . . . wyt ti wedi'u clywed nhw?"

"Do."

"Sut leisie ydyn nhw?"

"Siarad—canu."

"Siarad! Canu! *Mon Dieu*, beth wyt ti'n ddweud!"

"Yn wir i chi, Mama. Rwy'i wedi'u clywed nhw sawl
gwaith."

"Oedden nhw ddim yn codi dychryn arnat ti?"

"Ar y dechre, Mama, ond wedyn . . ."

"Ond, Emil, lleisie pwy ydyn nhw?"

"Mae'r hen ŵr yn y Felin yn dweud mai lleisiau morwyr
sy wedi marw . . ."

"Fe fu dy Dad farw allan yn y bae 'na . . ."

Ymgroesodd gwraig y dafarn a bu'n fud am funud.
"Ach!" meddai, "roedd hi mor hawdd cyn i'r hen ecseismyn
yna ddod—a'r milwyr . . . mae arna' i ofn, Emil . . ."

Gwenodd Emil ar ei fam.

"Roedd hi'n *rhy* hawdd cyn iddyn nhw ddod, Mama!
Nawr—mae mwy o hwyl . . ."

"Wyt ti'n meddwl y gallan nhw landio'r cyfan heb i neb
'u gweld nhw?"

"Wrth gwrs. Fe fydd hi'n dywyll a dyw'r ogof ddim yn
y golwg o'r traeth."

Pennod 11

Roedd hi'n nos yng Nghwmtydu; yn nos heb na lleuad na sêr yn y golwg, oherwydd, er fod y glaw mân wedi cilio, roedd yr awyr o hyd yn llwythog o gymylau. Roedd hi'n nesáu at benllanw ac fe ellid clywed y tonnau'n tasgu ymysg y creigiau ar bob ochr i'r traeth. Nid oedd unrhyw sŵn arall.

Ychydig cyn wyth o'r gloch roedd Bart Thomson, Capten Phillips a'r milwyr wedi cau'n dawel bach am y pentre. Roedd dwy ffordd gul yn arwain o Gwmtydu ac yn awr roedd dau filwr yn gwylio pob un fel na allai neb fynd allan na dod i mewn i'r pentre heb gael ei stopio a'i holi.

Fe deimlai Thomson yn ddiamynedd iawn. Roedd y penllanw yn ymyl ac roedd pobman fel y bedd o gwmpas y pentre. Ble roedd y merlod a'r dynion i gludo'r contraband i ffwrdd o Gwmtydu? Fe deimlai yn ei esgyrn fod rhywbeth o le. A oedd y dihirod wedi cael cyfle i rybuddio'r lyger i gadw draw? Neu . . . ?"

"Dewch, Capten Phillips," meddai gan godi o'i guddfan yn y drysi ar ymyl y ffordd, "gadewch i ni fynd."

"Ond . . . y . . . ydych chi am gyhoeddi ein bod ni yma, Thomson?"

"Mae'r dihirod yn *gwybod* yn iawn ein bod ni yma, Capten. Dewch, mae yna rywbeth o le os nad oes na ddynion ar y traeth yn dechrau dadlwytho'r lyger erbyn hyn, mae hi'n benllanw. Dewch â hanner dwsin o'ch dynion gyda chi."

Cyn bo hir roedden nhw'n cerdded yn fintai fach glòs i lawr trwy'r pentre a'u traed yn gwneud sŵn caled ar y ffordd garegog. Aethant heibio i'r tai—pob un â golau gwan yn ei ffenest ond heb arwydd arall fod neb yn byw ac yn symud tu fewn.

Daethant gyferbyn â thafarn Glandon. Yr oedd drws hwnnw ar agor ac fe ddeuai peth sŵn siarad o'r tu fewn.

Yna roedden nhw'n sefyll yng nghysgod yr odyn galch ar lan y môr. Er ei bod yn dywyll, gallent weld y tonnau'n torri'n wyn ar y cerrig.

Arhosodd Thomson ar ben y traeth am funud hir—yn clustfeinio. Yna, gan droi ar ei sawdl, dywedodd yn swta, "Dewch!"

Dilynodd y lleill ef yn ôl at dafarn Glandon. Aeth yr ecseisman i mewn ar ei union drwy'r drws, a'r milwyr ar ei ôl.

Yn y taprwm eisteddai tri hen ŵr ar hen sgiw dderw, gefn-uchel a gyferbyn â hwy Mari 'Fforin' a'i merch, Liwsi, y ddwy â gweill yn eu dwylo. Roedd Thomson yn adnabod un o'r hen ddynion—sef y dyn bach, siaradus o'r enw Sami a oedd wedi ei gyfarch pan gyrhaeddodd gyntaf ym mhentre Cwmtydu.

Bu distawrwydd llethol yn y taprwm am dipyn a phawb yn edrych ar ei gilydd. Yna cododd Mari 'Fforin' o'i chadair gan roi ei gweill ar gôl ei merch. "Foneddigion," meddai, gan fowio tuag at Thomson a'r milwyr, "doedden ni ddim yn disgwyl llawer o gwsmeriaid heno."

"Debyg iawn, madam," meddai Thomson yn awgrymog.

"Eisteddwch, foneddigion," meddai Mari, "be gymrwch chi i' yfed?"

"Peidiwch â chellwair, ddynes!" meddai Thomson yn ffyrnig, "ble mae'ch meibion chi heno, madam? Rwy'i am gael gair â nhw."

"Mae'n ddrwg gen i," atebodd gwraig y dafarn, "ond dŷn nhw ddim adre heno."

"O? Ble maen nhw, felly?"

Gwenodd Mari 'Fforin' a chodi ei dwy law. "A! Mister

Thomson! Ar ôl y merched debyg iawn. Felna mae bechgyn ifenc, ontefe?"

Trodd Thomson yn sydyn at y tri hen ŵr wrth y tân.

"Roedd 'na lyger allan yn y bae gynnau cyn iddi dywyllu . . . beth sy wedi digwydd iddi?"

Torrodd chwerthin cras Sami'r Clochydd ar draws y taprwm.

"*Once aboard the lugger and the girl is mine!*" canodd y dyn bach yn aflafar, gan hanner chwerthin yr un pryd. Camodd Thomson ar draws y llawr yn gyflym. Cydiodd yn yr hen Glochydd a'i godi'n drwsgl ar ei draed. Roedd wyneb yr ecseisman yn goch a'i lygaid yn wyllt.

"Wyt ti'n ceisio gneud sbort am ben y Gyfraith, wyt ti'r cythraul bach?" meddai, gan ysgwyd yr hen ŵr. Yna roedd Liwsi, merch y dafarn, ar ei thraed.

"Gadewch lonydd iddo fe!" gwaeddodd yn uchel. Roedd hi'n anadlu'n gyflym a'i llygaid duon yn fflachio. Gadawodd Thomson y dyn bach yn rhydd a throi i edrych yn syn ar y ferch ifanc.

"Gadewch lonydd iddo fe," meddai Liwsi eto, yn fwy tawel y tro hwn. Ond yr oedd yr ecseisman ar gefn ei geffyl o hyd.

"Rwy'i wedi holi cwestiwn," meddai, "ac rwy'i am ateb. Beth sy wedi digwydd i'r lyger weles i yn y bae prynhawn 'ma?"

"Fe ddweda i wrthoch chi, syr," meddai Sami.

"Wel?"

"Wel, os nad aeth hi odd' na, mae hi 'na o hyd."

Am foment meddyliodd pawb fod yr ecseisman yn mynd i'w daro â'i ddwrn.

"Sami!" meddai Liwsi, gan gamu rhwng yr hen ŵr a'r ecseisman. Ond erbyn hyn roedd Thomson wedi rhoi ffrwyn ar ei dymer ddrwg.

"O'r gore, bobol," meddai. Edrychodd ar wraig y

dafarn. "Os nad oes neb yn barod i roi unrhyw wybodaeth i ni, fe fyddwn ni'n aros 'ma—i gyd gyda'n gilydd—drwy'r nos os bydd angen—nes byddwn ni wedi darganfod ble mae smyglwyr Cwmtydu heno, a beth maen nhw'n 'i wneud. Rwy'n meddwl yn arbennig am eich meibion chi, madam. Fe gawn ni weld, pan ddôn nhw adre, beth maen *nhw* wedi bod yn 'i wneud heno. Dwedwch wrth eich bechgyn am eistedd, Capten Phillips, efalle bydd rhaid i ni aros yn hir. A thra'n bod ni'n aros, wnâi hi ddim drwg i ni'n dau gael cip ar seleri'r lle 'ma unwaith 'to."

Eisteddodd y milwyr ar feinciau o gwmpas y taprwm.

"Rhowch beint o ddiod i bob un, madam, os gwelwch yn dda," meddai Capten Phillips. Gwgodd yr ecseisman ar hyn ond ni ddywedodd air.

"Mae wedi mynd yn hwyr," meddai Mari 'Fforin', "mae'n bryd cau . . ."

"Yn hwyr!" Chwarddodd yr ecseisman yn chwerw, "madam, dyw hi ddim yn naw o'r gloch eto!"

Pesychodd Sami. "Naw o'r gloch!" meddai, "rwy'n arfer mynd i 'ngwely am naw . . . y . . . rhaid i fi fynd."

"Eistedd fanna!" gwaeddodd yr ecseisman. "Chei di ddim mynd gam allan o'n golwg ni nes byddwn ni wedi cael ein dwylo ar rai o smyglwyr Cwmtydu. Pe baet ti'n cael mynd allan trwy'r drws 'na, fyddet ti ddim yn hir yn 'u rhybuddio nhw mae'n debyg. Cadwch lygad ar rhain bob un," meddai, gan droi at y milwyr. Yna, gan droi at wraig y dafarn, meddai, "Canhwyllau, madam, i Capten Phillips a finne gael gweld eich seler chi."

Eisteddodd gwraig y dafarn ar ei chadair a thynnodd ei llaw dros ei llygaid fel pe bai wedi blino.

"Lucille," meddai, "rho ganwylle iddyn nhw . . . ac fe gei di fynd gyda nhw i ofalu na fyddan nhw ddim yn yfed y cwbwl sy 'na." Roedd ei llais yn chwerw.

Ar ôl cynnau dwy gannwyll aeth Liwsi o flaen y ddau i lawr y grisiau tywyll at y seler.

"Ffordd hyn, Mister Thomson," meddai Liwsi'n uchel.

Yr oedd seler ddofn i hen dafarn Glandon, a'r grisiau oedd yn arwain i lawr iddi yn rhai serth a threuliedig, a chan fod y gwynt a ddeuai i fyny atynt yn plycio'r fflamau oddi ar y ddwy gannwyll, nid oedd gan y ddau ddyn a ddilynai Liwsi ond ychydig o olau. Ond roedden nhw bron â chyrraedd y gwaelod pan lithrodd troed y capten a gwneud iddo syrthio'r pedwar neu bum gris rhyngddo â'r gwaelod. Yn ffodus iawn roedd Liwsi wedi cyrraedd y gwaelod cyn i hynny ddigwydd. Clywodd sŵn, a throi ei phen. Ond erbyn hynny roedd y Capten wedi glanio yn ei hymyl a chydio ynddi i'w arbed ei hunan. Am foment bu ei ddwy fraich yn dynn amdani a'i wyneb golygus bron yn cyffwrdd â'i hwyneb hithau. Daeth arogl y persawr hyfryd a ddefnyddiai i'w ffroenau.

"Y . . . mae'n ddrwg gen i . . . y . . . miss . . . wir i chi," meddai'r milwr.

"Gadewch fi'n rhydd, Capten!" gwaeddodd Liwsi mewn llais uchel. Gollyngodd ei afael ynddi.

Wedi taflu'r drws led y pen aeth Liwsi i lawr dair gris arall a chyrraedd llawr y seler.

"A! Fyddwch chi ddim yn cloi eich seler, miss?" gofynnodd yr ecseisman.

"Pan fyddwn ni'n mynd i'r gwely bob nos, syr, ddim yn y dydd."

"Hym." Dechreuodd Thomson edrych o'i gwmpas yn fanwl. Roedd e eisoes wedi bod ddwywaith yn y lle yma, ac erbyn hyn roedd e'n hen gyfarwydd â'r holl annibendod oedd yno. Wyth o farilau cwrw yn un rhes, ac yng nghorneli'r seler fawlyd y cymysgedd rhyfeddaf o gewyll cimychiaid, rhaffau, rhwydi, gwrec, poteli gweigion, rhwyfau, dwy hen gist flawd, darnau o hwyliau a nifer o hen bethau dibwys eraill. Fe geisiodd yr ecseisman gofio a oedd popeth fel roedd e pan fu e yma o'r blaen.

Roedd rhywbeth yn wahanol! Beth? Edrychodd eto ar y muriau bawlyd, a oedd rywbryd, amser maith yn ôl, wedi bod yn wyngalchog. Yna ar yr annibendod ym mhob cornel. Ac yn sydyn fe wyddai!

Roedd nifer o gewyll cimychiaid wedi eu pentyrru un ar ben y llall yn un cornel a chlytiau o hen hwyliau drostynt. Doedden nhw ddim fel hynny pan fu ef yn y seler o'r blaen. Edrychodd ar y capten, ond roedd hwnnw a'i lygaid ar ferch y dafarn a edrychai fel rhyw fadonna yng ngolau'r ddwy gannwyll a ddaliai—un ym mhob llaw.

Camodd yr ecseisman at y pentwr yn y gornel. Gydag un gic sydyn fe ddymchwelodd y pentwr anniben. Aeth y cewyll ar draws y llawr i bob cyfeiriad. Cyn gynted ag roedd y pentwr wedi ei chwalu *daeth ffurf dyn i'r golwg! Roedd e'n cyrcydu yn y gornel ac roedd e wedi ei wisgo mewn rhyw fath o glogyn carpiog a chlytiau o bob lliw drosto i gyd.* Am ei ben yr oedd cwcwll llwyd, llaes a hwnnw'n cuddio'i wyneb bron i gyd.

"Ha!" gwaeddodd yr ecseisman yn gynhyrfus, "dyma fe, Capten Phillips! Siôn Cwilt!" Tynnodd ei bistol mawr o'i wregys.

Yr eiliad nesaf gollyngodd Liwsi'r ddwy gannwyll o'i llaw. Roedd y ddwy wedi diffodd cyn cyrraedd y llawr. Yn awr roedd y seler fel y fagddu.

"Capten, y grisie!" gwaeddodd yr ecseisman. Ond y foment nesaf roedd e'n gorwedd ar y llawr—wedi ei daro gan ddwrn yn y tywyllwch.

"Yn enw'r Brenin, syr!" gwaeddodd Capten Phillips. Roedd e wedi tynnu ei gleddyf o'i wain a symud i gyfeiriad y grisiau. Ond erbyn hyn—yn y tywyllwch dudew—doedd e ddim yn siŵr ble roedd y grisiau. Yna clywodd sŵn rhywun yn mynd heibio iddo a rhoddodd ei freichiau allan i geisio cyffwrdd ag ef. Am eiliad cyffyrddodd ei fysedd â brethyn garw, yna roedd y ffoadur wedi symud o'i afael. Wedyn roedd sŵn traed ar y grisiau.

"Daliwch e! Daliwch e!" gwaeddodd Thomson gan anadlu'n drwm. Roedd e wedi codi ar ei draed erbyn hyn, ac yn awr rhuthrodd heibio i Capten Phillips i gyfeiriad y sŵn a glywsai. Clywsant ddrws yn agor a chau.

"Daliwch e! Daliwch e!" Yn awr roedd Thomson yn sgrechian fel dyn gwyllt, ac nid cyfarch Capten Phillips yr oedd e—ond y milwyr yn y taprwm uwch eu pennau. Rywsut cyrhaeddodd yr ecseisman ddrws y seler a'i agor, a daeth llygedyn o olau i lawr atynt o'r stafell uwch eu pennau.

"Daliwch e! Daliwch e!"

Clywodd y milwyr floeddiadau Thomson yn awr a gadawodd pob un ei ddiod a rhuthro allan i'r cefn. Daethant wyneb yn wyneb â Thomson ar ben y grisiau.

"Ble mae e wedi mynd?" gwaeddodd yr ecseisman yn wyllt. Edrychodd y milwyr yn syn arno. Trodd Thomson ei ben a gweld cegin gefn y dafarn, a drws ar agor yn ei phen pellaf. Roedd y drws yn siglo'n ôl a blaen yn araf yn y gwynt.

"Ar 'i ôl e!" gwaeddodd, "Sion Cwilt yw e! Mae 'na sofren felen i unrhyw un all 'i ddala fe!"

Rhuthrodd y milwyr allan drwy'r drws. Yng nghefn y dafarn roedd y tir yn codi'n serth nes cyrraedd copa'r bryn fry uwch eu pennau.

"Ust!" gwaeddodd Thomson.

Yn y distawrwydd gallent glywed sŵn y ffoadur yn dringo drwy'r rhedyn a'r eithin crin ar y llethr. Heb i neb ddweud yr un gair wrthynt dechreuodd y milwyr ddringo ar ôl y sŵn. Ond ni thrafferthodd Thomson eu dilyn. Yn ei galon fe wyddai na fyddai neb yn debyg o ddal y smygler yn y tywyllwch. Roedd e wedi bod yn ei afael . . . ac roedd e wedi dianc . . . o leiaf am y tro. Ond ni rwystrodd y milwyr serch hynny—fe allent gyflawni gwyrth, meddyliodd!

Aeth yn ôl i'r dafarn â gwg ffyrnig ar ei wyneb.

Yr oedd Capten Phillips a Liwsi wedi cyrraedd y taprwm o'i flaen. Edrychodd yr ecseisman o gwmpas yr ystafell. Eisteddai Mari 'Fforin' ar y sgiw â'i gweill yn ei dwylo. Yng ngolau fflamau'r tân meddyliodd iddo weld gwên ar ei hwyneb tywyll. Yna sylwodd fod un cwsmer arall wedi cyrraedd tra bu ef a'r Capten a Liwsi yn y seler. Gŵr ifanc cyhyrog, tal ydoedd, a phwysai ar gefn y sgiw lle'r eisteddai'r tri hen ŵr. Wil Gaer Ddu oedd y dyn ifanc, er na wyddai Thomson mo hynny. Am foment bu'r ddau'n edrych i fyw llygad ei gilydd.

"Oedd 'na lygod mawr yn y seler 'na, dwedwch?" gofynnodd Sami'n sydyn yn ei lais cras.

Ni fentrodd neb chwerthin.

"Dim ond un llygoden fawr," meddai Thomson yn chwerw, "ac oni bai am y ferch ifanc 'ma, fe fydde hi gyda ni erbyn hyn."

Trodd at Liwsi, a oedd yn pwyso ar y wal yn ymyl y casgenni cwrw. "Fe wnest ti gymwynas fawr â'r llygoden 'na heno ond do fe, lodes? Trwy ddiffodd y canhwyllau fe roist ti gyfle iddi ddianc!"

Roedd pawb yn gwrando'n astud yn awr a hyd yn oed y clochydd bach cecrus yn ddistaw.

"Ond Mr Thomson," meddai Capten Phillips, "chware teg, rwy'n meddwl mai cwympo wnaeth y ddwy gannwyll—roedd hi wedi cael cymaint o ddychryn wrth weld y creadur 'na yn y gornel . . ."

"Ba!" meddai Thomson yn wawdlyd ac yn anfoesgar.

Edrychai ar y swyddog fel pe bai'n blentyn oedd newydd ddweud rhywbeth ffôl iawn o flaen pobl ddierth.

"Na, Capten. Ydych chi'n meddwl na wyddai hi ddim fod Siôn Cwilt yn y seler? Nonsens! Fe wyddai hi'n iawn. Beth oedd e'n wneud yma, dwed?" gofynnodd gan droi at Liwsi, "dod i weld 'i gariad oedd e? Ti yw 'i gariad e, lodes?"

Roedd llygaid pawb ar Liwsi yn awr ac roedd hi'n gwrido'n goch. Ysgydwodd ei phen, ond ni ddywedodd air.

"Ha! Synnwn i ddim, wir! Roeddet ti'n awyddus iawn iddo ddianc yn fyw beth bynnag. Ond cymer di gyngor gen i, 'merch i, rwyt ti'n torri'r Gyfraith wrth helpu smygler i ddianc. Os na fyddi di'n ofalus fe fyddi di'n dy gael dy hunan yn y carchar yn Aberteifi . . . a dy fam hefyd, a phob un ohonoch chi—rŷch chi'n chware gêm beryglus iawn, cofiwch chi gymaint â hynna!" Edrychodd o gwmpas y taprwm wrth ddweud hyn a disgynnodd ei lygaid eto ar wyneb y gŵr ifanc a oedd yn pwyso ar gefn y sgiw. Sylwodd fod golwg wgus iawn ar wyneb hwnnw yn awr. Sylwodd hefyd mai i gyfeiriad merch y dafarn yr edrychai. "A!" meddai wrtho'i hunan, "diddorol— diddorol iawn!"

Yn uchel dywedodd—gan ddal i edrych ar Wil Gaer Ddu—"Rwy'n gobeithio fod 'na rai pobol, o leia, yng Nghwmtydu sy'n credu mewn parchu'r Gyfraith ac yn credu y dylai unrhyw un sy'n 'i thorri gael 'i gosbi. Ond mae'n rhaid i fi ddweud nad ydw i ddim wedi cwrdd ag un hyd yn hyn—dim un!"

Edrychodd o un wyneb i'r llall.

"Wel," meddai, "pwy yw Siôn Cwilt a ble mae e'n byw?"

Bu distawrwydd am ennyd, yna chwarddodd Wil Gaer Ddu'n uchel.

"Gwell i chi ofyn iddi hi fanco, syr," meddai a'i lais yn galed.

Ar y gair daeth dau neu dri o'r milwyr yn ôl trwy ddrws y cefn. Roedd eu dillad yn flêr ac yn fawlyd ond roedd eu hwynebau'n dweud nad oeddynt wedi llwyddo i ddal y ffoadur.

Edrychodd Thomson yn wawdlyd arnynt. Tynnodd ei law dros ei dalcen. Yn sydyn teimlai wedi blino. Beth allai'r milwyr twp, diog yma ei wneud yn erbyn smyglwyr cyfrwys oedd yn cael eu harwain gan greadur cyfrwysach fyth o'r enw Siôn Cwilt? Roedd hi bellach yn ddeg o'r gloch ac fe wyddai yn ei esgyrn fod y lyger yn glanio contraband yn rhywle heb fod ymhell. Fe wyddai fod yna ogofeydd a hen draethau bach rhwng y creigiau, na ellid mo'u gweld heb fynd ar hyd y glannau mewn cwch. Ond byddai rhaid cael golau dydd cyn y gallai obeithio mynd i chwilio am rheini.

Yn sydyn trawodd y syniad yn ei ben—beth os oedd y dihirod yn glanio'u contraband ar draeth Llangrannog tra roedd e a'r milwyr yng Nghwmtydu? Roedd peth felna wedi digwydd o'r blaen—unwaith iddo ef ei hunan—pan oedd e'n swyddog yn Ne Lloegr yn agos i Romney. Dechreuodd deimlo'n anesmwyth iawn.

"Capten Phillips," meddai, "gair â chi tu allan os gwelwch chi'n dda."

Aeth y ddau swyddog allan i ben y traeth. Yr oedd hi wedi clirio erbyn hyn a miloedd o sêr yn disgleirio yn yr awyr uwch eu pennau. Hefyd yr oedd rhimyn o lleuad yn dod i'r golwg dros grib y clogwyn tua'r dwyrain. Am foment safodd y ddau yno yn y cysgodion—yn gwrando. Nid oedd dim i'w glywed ond bwrlwm cyson y tonnau ar y creigiau islaw. Ond roedd y ddau'n clustfeinio am sŵn arall—sŵn troed ar y cerrig, sŵn lleisiau, oherwydd fe wyddent fod yna ddrygioni'n mynd ymlaen y funud honno—allan yna yn rhywle.

"Waeth i ni beidio â thwyllo'n hunen, Capten Phillips—ddaliwn ni'r un smygler heno mwy rwy'n ofni—ddim yma beth bynnag."

"Dyma 'marn innau hefyd," atebodd y Capten. "Beth nawr?"

"Ba! Wn i ddim beth i'w awgrymu. Mae un peth yn sicr—mae llwyth o gontraband wedi dod i dir yn rhywle heno—rhywle heblaw traeth Cwmtydu lle roedden ni'n disgwl iddo ddod i dir. Rwy'i wedi bod yn meddwl falle 'u bod nhw wedi glanio'r llwyth ar draeth Llangrannog, gan wybod y bydden ni yma!"

"Ŷch chi'n meddwl?"

"Os ydyn nhw, fe fyddwn ni'n destun sbort trwy'r wlad i gyd. Rwy'n awgrymu 'mod i a hanner dwsin o'r milwyr yn dychwelyd ar unwaith i Langrannog. Fe gewch chithe a'r lleill aros 'ma i wylio'r traeth 'ma. Ac rwy'i am i chi 'u cadw nhw ar ddihun. Capen Phillips! Dewch. Fe fydda i'n anfon neges ar unwaith i chi os oes 'na rywbeth yn mynd ymlaen yn Llangrannog. Anfonwch chithe neges i fi ar frys os bydd 'na rywbeth yn digwydd 'ma. Beth bynnag, fe fydda i nôl yn y bore'n gynnar, gyda'r cwch mwya yn Llangrannog, i chwilio'r traethau bach a'r ogofeydd sy o gwmpas y lle 'ma. 'U chwilio nhw o'r môr—dyna'r unig ffordd i fynd atyn nhw."

"O'r gore," ochneidiodd Capten Phillips. "Mae'n debyg na chawn ni'r un winc o gwsg heno 'to, Mr Thomson. Ond dyna fe—arna i roedd y bai—yn meddwl mynd yn filwr o gwbwl! Pe cawn i ddoe'n ôl . . ."

"Mae gwaith milwr—fel gwaith ecseisman—yn bwysig, Capten Phillips. Newidiwn i ddim am y byd . . . Dewch."

Cerddodd y ddau yn ôl i gyfeiriad y dafarn.

Roedd y gweddill o'r milwyr oedd wedi dringo'r

clogwyn ar ôl Siôn Cwilt wedi dychwelyd erbyn hyn. Rhoddwyd gorchymyn i chwech ohonynt fynd gyda Thomson ar unwaith ond ni ddywedwyd wrthynt i ble chwaith.

Yna roedd Capten Phillips wedi rhoi gorchymyn i'r chwech oedd ar ôl i'w ddilyn ef i lawr i lan y môr. Aeth cwsmeriaid tafarn Glandon ymaith wedyn hefyd, o un i un, gan adael un yn unig yn y taprwm gyda Mari a Liwsi. Hwnnw oedd Wil Gaer Ddu.

"Fe fuon nhw bron â'i ddal e heno, felly 'te?" meddai Wil, gan edrych ar y ddwy ddynes a oedd erbyn hyn yn eistedd yn ymyl ei gilydd ar y sgiw wrth y tân yn gweu.

"Ddylse fe ddim fod wedi mentro . . ." meddai Mari.

"Dyna rown i'n feddwl, Mari. Beth oedd e'n neud 'ma?"

Bu distawrwydd yn y taprwm. Cododd Liwsi ei phen oddi wrth ei gweu. Gwelodd fod Wil Gaer Ddu yn edrych i fyw ei llygaid.

"Roedd Emil, ac ynte wedi dod i mofyn rhagor o raffau o'r seler . . . roedd Emil newydd fynd pan ddaeth y milwyr a'r ecseisman. Pe bydde fe wedi mynd ar unwaith . . ." Gadawodd Mari'r frawddeg ar ei hanner.

"Ie. Pam oedd e'n oedi?" Unwaith eto roedd ei lygaid ar wyneb Liwsi. Teimlodd honno ei hun yn gwrido ar ei gwaethaf.

Erbyn hyn roedd Mari wedi deall ffordd yr oedd y gwynt yn chwythu.

"Oedi i gael tamaid o fwyd wnaeth e. Roedd e wedi teitho 'mhell ac roedd newyn a syched arno fe—dyna pam," meddai, gan edrych yn wgus ar Wil.

"O ie? Wedi teithio 'mhell . . ? Un o ble yw e, Mari?"

"Wn i ddim. Nid 'y musnes i yw holi o ble mae e'n dod nac i ble mae e'n mynd."

"Ond fe ddylsen ni sy'n 'i helpu fe i ddadlwytho'r contraband gael gwbod pwy yw e."

Plygodd Mari i roi proc i'r tân a oedd wedi llosgi'n isel erbyn hyn.

"Rwy'n ddigon hen i fod yn fam i ti, Wil. Nawr cymer di gyngor gen i—a dyma fe. Gore i gyd i ti beidio â gwbod pwy yw e. Fedri di ddim 'i fradychu fe i neb wedyn."

Chwarddodd Wil yn chwerw. "O fel 'na iefe? Mae Liwsi'n gwbod pwy yw e, on'd wyt ti, Liwsi? Fe fydd gydag e fwy o olwg byth arnat ti nawr ar ôl i ti ddiffodd y ddwy gannwyll 'na i roi cyfle iddo ddianc. Oni bai amdanat ti fe fydde fe yn nwylo Thomson erbyn hyn."

"Fe fydde Liwsi wedi gneud yr un peth i dy achub di hefyd, Wil," meddai'r hen Fari.

"Fydde hi wir? Dwy'i ddim yn siŵr . . . fyddet ti, Liwsi?"

Caeodd Liwsi ei dwy wefus yn dynn a phlygodd uwch ben ei gweu.

"Dyna i chi! Mae'n gwrthod ateb tamaid o ffermwr bach fel fi, Mari! O'r gore, madam, os taw felna'r wyt ti'n teimlo." Yna gan droi at Mari, gofynnodd, "Ble mae'r llwyth yn dod i dir heno 'te, Mari?"

Bu distawrwydd llethol am foment eto yng nghegin yr hen dafarn. Roedd pennau'r fam a'r ferch ymhlyg uwch ben eu gweu a Wil gyferbyn â hwy, yn disgwyl am ateb.

"Wel?" meddai wedyn.

Cododd Mari 'Fforin' ei phen.

"Pam wyt ti'n holi, Wil?" gofynnodd.

"Wel, meddwl rown i y gallwn i fynd i roi tipyn o help iddyn nhw . . ."

"Mae'n rhy hwyr i hynny bellach, Wil."

"O'r gore, falle 'i bod hi'n rhy hwyr heno. Ond rwy'n un ohonyn nhw, Mari. Mae gen i hawl i gael gwbod!"

"*Weithie* yr wyt ti'n un ohonyn nhw, Wil, ac weithie dwyt ti ddim."

"Beth ŷch chi'n ddweud ddynes! Pan fydd cyfle gen i rwy'n mynd gyda nhw bob amser."

Nid atebodd Mari am foment hir, a gofynnodd Wil eto, gan godi ei lais y tro hwn.

"Ble maen nhw?"

"Pe bawn i'n gwbod, ddwedwn i ddim wrthot ti, Wil," meddai Mari. "Rwy'i a Liwsi'n gweld a chlywed llawer o bethe yn y dafarn 'ma ond fyddwn ni byth yn mynd i gwmpas i ail-adrodd dim wrth neb. Busnes y dynion yw'r smyglo 'ma, Wil. Nhw sy'n penderfynu pryd a phle mae'r llwyth yn dod i dir. Ein gwaith ni yw mynd ymla'n â'n gwaith yn y dafarn 'ma, a chadw clo ar ein tafode."

Cymerodd Wil ddracht hir o'i bot cwrw.

"Ond *fi*, Mari! Wnaiff hi ddim drwg i ddweud wrthw i. Rwy'i—wel—rwy fel un o'r teulu . . . ac rwy'n gobeithio y bydda' i *yn* un o'r teulu rhyw ddiwrnod cyn bo hir iawn!"

Yn awr roedd y ddwy ddynes yn edrych arno. Roedd gwên annymunol ar ei wyneb ac edrychai ar Liwsi. Roedd bochau'r ferch ifanc yn fflamio oherwydd fe wyddai'n iawn fod Wil yn sôn eto am ei chael hi'n wraig—a thrwy hynny ddod yn un o'r teulu.

Cododd ar ei thraed a mynd allan o'r taprwm i gyfeiriad y cefn heb ddweud yr un gair.

Ar ôl iddi fynd cododd Mari 'Fforin' hefyd. "Wel," meddai, "mae wedi mynd yn hwyr ac rwy am gloi . . ."

"Oes gennych chi ryw wrthwynebiad i fi fel mab-yng-nghyfraith, Mari?" gofynnodd, gan godi hefyd.

"Fe gaiff Lucille benderfynu pwy fydd hi'n gymryd yn ŵr, Wil. Os bydd hi'n dy ddewis di, fydda i ddim yn gwrthwynebu. Ac os bydd hi'n dewis rhywun arall fe fydd rhaid i tithe fod yn fodlon ar hynny."

"Ond pwy arall sydd?"

"Pwy arall sydd! Dwyt ti ddim yn meddwl mai ti yw'r cynta i ffansïo Lucille wyt ti?"

93

"Rwy'i am eich rhybuddio chi nawr, Mari—chaiff neb arall mohoni."

Agorodd Mari 'Fforin' ei llygaid led y pen.

"Beth wyt ti'n geisio'i ddweud, y ffŵl gwirion?"

Roedd golwg ystyfnig, sarrug ar wyneb y ffermwr ifanc—golwg a gododd beth dychryn ar wraig y dafarn.

"Wil," meddai, "gwell i ti fynd adre, rwyt ti wedi cael gormod o gwrw rwy'n ofni."

Aeth at y drws a'i agor. Aeth Wil ar ei hôl heb aros i ddadlau. Pan oedd yn mynd allan i'r nos dywedodd Mari, "Fe fydd hi'n cael gwneud 'i dewis, Wil, fe ofala i am hynny."

Yr oedd Wil erbyn hyn tu allan i'r drws.

"Beth os mai Siôn Cwilt fydd hwnnw?" gofynnodd. Yna roedd e wedi cerdded i'r tywyllwch heb ddisgwyl am ateb Mari. Caeodd honno'r drws a'i folltio.

Pennod 12

Wrth ddringo'r rhiw tua'r Gaer Ddu yng ngolau'r lleuad, a oedd wedi codi erbyn hyn, roedd meddyliau Wil o hyd yn troi o gwmpas merch hardd y dafarn. Roedd hi'n gwneud rhywbeth iddo bob tro y gwelai hi. Nid nad oedd merched tlws eraill yn ardal Cwmtydu—ond roedd hi'n wahanol—*mor wahanol!* Fe geisiodd feddwl *sut* oedd hi'n wahanol, a pham? Roedd hi'n sefyll ac yn cerdded yn wahanol i ferched eraill, meddyliodd. Roedd yna ryw falchder ym mhob symudiad—ac eto doedd hi ddim yn falch yn 'i ffordd. Roedd hi'n wahanol am nad oedd hi erioed wedi fflyrtio ag ef na gadael iddo ddod o hyd braich iddi yn wirfoddol. Ac wrth gwrs, oherwydd hynny roedd hi'n mynd yn fwy dymunol o hyd.

Credai ei fod yn gwybod *pam* yr oedd hi'n wahanol. Yr oedd gwaed "fforin" yn ei gwythiennau hi—gwaed gwŷr a merched Llydaw.

Beth bynnag, meddyliodd, roedd hi wedi codi yn ei ben ef—fel brandi gorau Ffrainc! Cofiodd eto amdani'n siarad â Siôn Cwilt wrth fur yr odyn. Oedd hi ddim wedi gwenu'r pryd hynny—mewn ffordd na wnaeth hi erioed arno ef? Ai dyma hi heno wedi achub y smygler rhag cael ei ddal gan yr ecseisman. Siôn Cwilt! Pwy oedd y cythraul?

Cerddai o dan y coed noethion oedd yn tyfu dros y ffordd gul ar bob ochr. Taflai'r lleuad ei phelydrau rhwng y brigau a gwneud patrymau rhyfedd ar lawr y lôn ac ar y cloddiau. Ni wnâi ei draed fawr o sŵn ar y carped dail gwlyb oedd ar hyd y ffordd.

Daeth i ben y rhiw. Ar y chwith iddo yn awr yr oedd yr eglwys, a'r fynwent ddistaw yn llawn o gerrig beddau. Fe deimlai rhyw ias fach o ofn bob tro y cerddai heibio i'r fan honno yn nyfnder nos. Er nad oedd arno lawer o ofn yr un dyn byw, eto i gyd, yr oedd wedi clywed cynifer o hen straeon am ganhwyllau corff a thoilïod ac ysbrydion, gan hwn a'r llall . . .

Stopiodd yn sydyn. A oedd e wedi clywed rhyw sŵn yn dod o'r fynwent—o fysg y cerrig beddau? Dyna'r sŵn eto! Ac oni bai ei fod yn sŵn cyfarwydd byddai wedi rhedeg am ei fywyd. Ond sŵn ceffyl neu ferlyn yn gweryru ydoedd. Rywsut neu'i gilydd roedd merlod rhywun wedi crwydro ac wedi mynd i mewn i'r fynwent. Gwenodd wrtho'i hunan. Fe allent wneud difrod mawr yn y fan honno. Ond twt, meddyliodd, nid ei gyfrifoldeb ef oedd hynny! Yna rhewodd yn ei unfan. Roedd e wedi clywed llais dyn! Yn grynedig aeth yn nes at glawdd y fynwent. Am foment petrusodd. Onid mynd nerth ei draed am adre oedd orau? Ond teimlodd wedyn fod rhaid iddo gael *gweld* beth oedd yn y fynwent.

Dringodd dros fol y clawdd nes oedd ei ben uwchlaw'r gwrych. Am foment credodd fod ei lygaid yn ei dwyllo. Roedd y fynwent fel petai'n llawn o ferlod! Na, nid o ferlod yn unig chwaith, ond o ddynion hefyd! Ac ar gefn pob un o'r merlod roedd pedair casgen fach—dwy bob ochr—wedi eu clymu! Nid oedd angen dweud wrth Wil Gaer Ddu beth oedd yn y casgenni bach hynny. Y brandi contraband! Rywsut neu'i gilydd roedd llwyth y lyger wedi cyrraedd mynwent Llandysilio. Gwelodd wedyn fod porth y fynwent ar agor a bod y merlod yn symud yn un llinyn tuag ato. Wrth ben y merlyn blaen roedd dyn tal â rhyw fath o gwcwll am ei wyneb a chlogyn dros ei ysgwyddau. Edrychai fel mynach. Safodd Wil Gaer Ddu yno ar fol y clawdd, gan na allai symud gewyn. Gwyliodd y rhes hir o ferlod yn dirwyn, un ar ôl y llall, trwy'r porth ac allan i'r ffordd yn uwch i fyny. Fe gymerodd amser iddo sylweddoli fod dau ddyn arall yng ngofal y merlod gyda Siôn Cwilt. (Nid oedd amheuaeth yn ei feddwl erbyn hyn nad y smygler oedd yn arwain y fintai).

Yn fuan roedd y fynwent yn wag yng ngolau'r lleuad a'r merlod a'r smyglwyr wedi mynd. Yna meddyliodd—*mynd i ble?*

Daeth i lawr o ben y clawdd i'r ffordd. Dyma ei gyfle i weld ble roedd Siôn Cwilt a'i ddynion yn mynd â'r contraband ar ôl ei lanio. Beth petai'n eu dilyn o hirbell a heb yn wybod iddynt? Gwyddai y byddai'n beryglus . . . ond . . .

Cofiodd fel yr oedd Liwsi Glandon wedi gwenu ar y dyn a elwid yn Siôn Cwilt, ac fel yr oedd hi wedi ei achub rhag mynd i ddwylo'r Gyfraith y noson honno, ac fel yr oedd Mari wedi gwrthod dweud wrtho ble roedd y llwyth wedi dod i dir. Wel, dyma gyfle iddo wybod i ble roedd y llwyth yn *mynd* beth bynnag!

Erbyn hyn roedd sŵn camu mân, cyson y merlod yn pellhau. Dilynodd Wil o hirbell. Ymlaen ac ymlaen a thuag i fyny o hyd y dirwynai'r ffordd a dechreuodd Wil Gaer Ddu deimlo dipyn yn edifar iddo feddwl am ddilyn y fintai ferlod i ben ei thaith. I ble roedden nhw'n mynd? Dilynodd eu sŵn o un tro yn y ffordd i'r llall, heb fynd unwaith yn ddigon agos i'w gweld, rhag i Siôn Cwilt a'i ddynion ei weld yntau yn y golau leuad.

Yr oedd hi'n hwyr iawn erbyn hyn ac nid oedd un enaid byw ar y ffordd ond ef ei hun a'r tri dyn oedd yng ngofal y merlod a'u llwyth gwerthfawr. Rhaid eu bod wedi teithio pum milltir, meddyliodd—o leiaf bump!

Ond o gyrraedd tro yn y ffordd, a chlustfeinio, clywai'r carnau bach ar y ffordd yn camu'n fân ac yn gyson— ymlaen ac i fyny o hyd.

Yna roedden nhw wedi cyrraedd croesffordd lydan. Y ffordd fawr! Y ffordd fawr oedd yn arwain i Aberystwyth neu i Aberteifi. A oedd Siôn Cwilt yn bwriadu mynd â'i lwyth cyn belled ag un o'r ddwy dref hynny? Gwyddai na allai ddisgwyl ei ddilyn mor bell. Ond croesodd y merlod y briffordd a dechrau dilyn ffordd gul arall. Gwyddai Wil yn iawn i ble roedd honno'n arwain—roedd hi'n mynd yn gynta i bentre bach Talgarreg a thu hwnt i hwnnw i dre Llanbedr. Ond roedd Llanbedr—faint? Deuddeg milltir o'r fan honno? Safodd Wil mewn penbleth. Roedd ei draed yn brifo'n barod. Gwell troi'n ôl. Yna meddyliodd y byddai'n eu dilyn cyn belled â Thalgarreg beth bynnag—yna, os oedden nhw'n mynd ymlaen am Lanbedr yna fe gaent fynd hebddo ef.

Ond cyn cyrraedd pentre bach Talgarreg, a phan oedd y fintai wedi cyrraedd y rhostir uchel, unig a elwid y 'Mownt', fe drowyd y merlod oddi ar y ffordd ac i mewn i ganol y grug a'r eithin ar y rhos.

Dilynodd Wil hwy, yn ei gwrcwd yn awr, gan lithro o dwmpath eithin i dwmpath eithin.

Daeth y merlod, â'r tri dyn oedd yn eu gyrru, at hen dŷ tlawd yr olwg arno, yng nghanol y rhostir. O hirbell gwelodd Wil Gaer Ddu'r merlod bach yn sefyll o flaen y tŷ. Yna roedd y tri dyn wrthi'n brysur yn dadlwytho'r casgenni brandi. Yr oedd Wil yn ysu am gael mynd yn nes i weld beth oedden nhw'n mynd i'w wneud â'r casgenni. Ai eu cludo i'r tŷ? Ond roedd golau-leuad fel dydd, a theimlai na fyddai ei fywyd yn werth llawer pe bai'r smyglwyr yn ei weld a'i ddal. Penderfynodd ei fod wedi gweld digon, a'i bod yn bryd iddo fynd o'r lle unig, peryglus hwnnw. Yn ofalus, yn ei gwrcwd fel anifail, sleifiodd ymaith trwy'r grug a'r eithin ac yn ôl i'r ffordd.

Roedd e wedi blino'n arw pan gyrhaeddodd fuarth y Gaer Ddu yn oriau mân y bore, ond roedd gwên ar ei wyneb wrth ddringo'r grisiau i'w wely'r noson honno. Roedd e'n gwybod un o gyfrinachau Siôn Cwilt!

*　*　*

Roedd hi'n ddydd Sul trannoeth. Canodd cloch yr eglwys fry ar y bryn i alw pobol Cwmtydu a'r cylch i'r Cymundeb cynnar. Ac yn wir, nid alwodd yr hen gloch yn ofer. Yn wŷr, gwragedd a phlant dringodd pobl y pentre'r rhiw serth i'r eglwys—i gyd yn eu dillad dydd Sul ac yn edrych yn barchus a diniwed bob un! Ac eto, yn eu plith, rhaid bod rhai o'r dynion a fu wrthi'n dadlwytho'r lyger y noson gynt. Ond yn awr, ar eu ffordd i'r eglwys ar ben y bryn, yr oedd pawb, fel ei gilydd, yn edrych yn lân a di-bechod!

A'r glanaf a'r tlysaf o'r merched a ddringodd y rhiw y bore hwnnw oedd Liwsi, merch Mari 'Fforin'—yn ei gŵn ddu, â brodwaith gwyn o gwmpas y gwddf, a'r het fechan, gron ar ei phen a'r gwallt du, gloyw wedi ei glymu â rhuban melfed ar ei gwddf. Bu llygaid Capten Phillips yn ei dilyn yr holl ffordd i fyny'r rhiw, gyda diddordeb mawr iawn, er fod y swyddog ifanc hwnnw wedi bod yn effro drwy'r nos ac wedi blino'n lân ar wylio'r traeth a'r creigiau am unrhyw arwydd o'r smyglwyr.

Ar ôl i Liwsi ddiflannu dros ben y rhiw edrychodd y Capten o gwmpas y traeth fel dyn mewn breuddwyd. Chwaraeai gwên o gwmpas ei wefusau.

"Pryd ydyn ni'n cael mynd i orffwys 'te, Capten?" Torrodd llais achwyngar un o'r milwyr ar draws ei feddyliau.

"Y . . . beth?"

"Pryd ydyn ni'n cael pryd o fwyd a thipyn o orffwys 'te?"

"O . . . y . . . rwy'n disgwyl Thomson. Os naw ddaw e cyn bo hir fe awn ni am Langrannog. Rydyn ni wedi bod yma'n ddigon hir . . . does dim sôn am lyger na dim y bore 'ma . . ."

Ysgydwodd ei ben yn ddiamynedd. Gwyddai fod ei ddynion wedi blino ac wedi syrffedu ar fod ar eu traed drwy'r nos yn gwylio, gwylio a dim byd yn digwydd.

Ond er na wyddai Capten Phillips, yr oedd Bart Thomson ar ei ffordd tuag atynt y funud honno—efe a'i was, Walter Moses a thri o'r milwyr, mewn cwch o Langrannog.

Wedi darganfod nad oedd y smyglwyr wedi glanio'r contraband ar draeth Llangrannog y noson gynt ac wedi cael fod y pentre bach hwnnw'n dawel a digyffro, fe aeth ef a'i ddynion i'w gwelyau i orffwys. Ond gyda'r dydd roedd Thomson wedi codi a gwisgo amdano a dringo'r clogwyn uwchben y traeth gyda'i delisgop o dan ei gesail. Er iddo chwilio pob modfedd o Fae Aberteifi trwy'r telisgop ni welodd gip o'r lyger a welsai'r prynhawn cynt yn nesu'n araf at Gwmtydu. Draw ar y gorwel eitha fe allai weld smotyn llwyd yn y môr. Ai hwyliau llwydion y lyger oedd yno? Roedd y smotyn yn rhy bell iddo allu bod yn siŵr. Unwaith eto cronnodd dicter y tu mewn iddo nes bron a'i dagu. Y cythreuliaid! Roedden nhw wedi glanio llwyth o gontraband o dan ei drwyn! Yr oedd haerllug-rwydd y peth yn anfaddeuol!

Trawodd y telisgop o dan ei gesail a mynd yn frysiog i lawr am y traeth. Pan gyrhaeddodd yno fe ddefnyddiodd ei awdurdod fel un o swyddogion y Gyfraith i hawlio benthyg un o'r cychod mwyaf oedd yn digwydd bod ar y traeth y funud honno. Benthycodd hefyd lantarn o dafarn y 'Llong'. Yna roedd ef a'r tri milwr a Walter Moses wedi cychwyn yn y cwch i archwilio'r traethau bach a'r ogofeydd lle gallai'r smyglwyr fod wedi glanio'r llwyth y noson gynt.

Roedd hi'n fore gwyntog, clir a'r môr yn dipyn yn aflonydd.

Wedi archwilio dwy ogof dywyll yn y creigiau, a'u cael yn wag heb arwydd fod neb wedi bod yn agos yno ers amser, daethant at Draeth yr Ynys. Aeth Thomson i'r lan a chwilio'r tywod melyn yn fanwl am olion traed neu am unrhyw arwydd arall. Ond roedd y tywod yn lân ac yn llyfn heb ddim ond gwymon a darnau o wrec i'w gweld yma a thraw ar hyd-ddo. Ymlaen wedyn nes dod at ogof arall a thraeth yng nghanol y creigiau oedd yn codi fel mur o'r môr. Synnodd Thomson fod yna gynifer o draethau bychain na ellid byth mo'u gweld o'r lan. Dyna nefoedd i smyglwyr oedd y rhan yma o arfordir Sir Aberteifi!

Yr oedd hi'n hanner awr wedi deg pan gyrhaeddodd y cwch Gwmtydu. Daeth Thomson i'r lan, ac wedi gweld yr olwg flinedig ar y Capten a'i ddynion dywedodd wrthynt am fynd ar unwaith am Langrannog i gael brecwast a gorffwys. Cyn gynted ag yr oedd y Capten a'i wŷr wedi mynd aeth Thomson a'i ddynion yn ôl i'r cwch er mwyn chwilio'r glannau *uwchben* Cwmtydu—i gyfeiriad y Cei Newydd.

Nid oeddynt wedi mynd mwy na rhyw dri chan llath pan welsant enau ogof fawr yn y graig. Rhoddodd Thomson orchymyn i Walter Moses rwyfo tuag ati. Cyn cyrraedd genau'r ogof fe wyddai Thomson yn reddfol rywsut ei fod ar drywydd rhywbeth. Gwelodd ddarn o raff yn hongian yn llipa ar y graig a dechreuodd deimlo yn gynhyrfus. Ai dyma'r ogof lle glaniwyd y llwyth neithiwr? A oedd y contraband yma o hyd? A oedd y smyglwyr yma hefyd? Os oedden nhw fe fyddai rhaid bod yn ofalus. Rhoddodd orchymyn isel i'r milwyr fod â'u gynnau'n barod. Tynnodd yntau ei bistol mawr o'i wregys. Cododd Walter Moses y rhwyfau i'r cwch gan adael i hwnnw lithro'n araf i mewn dan gysgod y graig fawr oedd yn gwyro allan i'r môr.

Trawodd bow'r cwch yn ysgafn yn erbyn y graig yn y dŵr—craig wedi ei gorchuddio â mwsog gwyrdd a gwymon. Cododd Thomson ar ei draed a chamu drosodd o'r cwch i ben y graig lefn wrth enau'r ogof. Taflodd Walter Moses raff am hen garreg fawr er mwyn diogelu'r cwch. Yna, gan gydio yn y lantarn croesodd yntau i ymyl ei feistr. Daeth y milwyr ar ei ôl.

Bron ar unwaith gwelodd Thomson y gasgen fach! Roedd hi'n gorwedd wrth waelod mur yr ogof rhyw ddecllath yn unig i mewn. Aeth ati a'i chodi â'i ddwy law. Roedd hi'n wag ac roedd twll mawr yn un pen iddi—lle roedd rhywun wedi defnyddio carreg neu erfyn o ryw fath er mwyn cyrraedd yr hyn oedd ynddi. Plygodd Thomson ei ben a rhoi ei drwyn yn y twll. Daeth arogl y brandi'n gryf i'w ffroenau! Roedd yr ecseisman yn ddigon o hen law i wybod nad oedd y gasgen fach wedi bod yn wag yn hir.

Nid casgen wedi chludo i mewn gyda'r llanw oedd hi neu byddai'r arogl brandi wedi mynd. Gwyddai fod hon wedi dod i dir neithiwr gyda'r lleill i gyd—o howld y lyger ddu a'r hwyliau llwydion. Dyma lle daeth y llwyth i'r lan! Trodd ei ben i edrych i mewn i berfeddion tywyll yr ogof. Beth oedd yn eu haros yn y tywyllwch llaith? Trodd i edrych ar ei was a'r tri milwr wrth ei gefn. Sylwodd yn fanwl ar wyneb pob un a gwyddai fod ofn yng nghalonnau'r pedwar.

"Dewch!" meddai, a chamu 'mlaen i'r cysgodion.

Tywyllai'n gyflym fel yr âi Thomson yn ei flaen, a bu rhaid iddo aros nes i Walter Moses ddod hyd ato â'r lantarn ynghyn yn ei law.

"Fe gei di arwain—â'r golau," meddai Thomson yn isel.

"O . . . y . . . na . . ." dechreuodd Walter yn grynedig.

Ond gwthiodd Thomson ef yn ei flaen.

Roedd yr ogof yn ddofn iawn. Erbyn hyn roedden nhw wedi mynd yn rhy bell i weld golau dydd tu ôl iddynt. Cerddent yn dwr bach gyda'i gilydd ac roedd pob un â'i wn neu ei bistol yn barod i danio.

"Aros!" sibrydodd Bart Thomson gan gydio ym mraich Walter Moses o'i flaen. Nid oedd angen dweud ddwywaith wrth hwnnw. Arhosodd y milwyr hefyd. Clustfeiniodd y pump am unrhyw sŵn. Am dipyn ni allent glywed dim ond sŵn dŵr yn dripian o do llaith yr ogof i ryw byllau bach ar lawr.

Aethant ymlaen eto â'r llwybr yn arwain tuag i fyny. Daethant at lawr bach o dywod sych. Yn y tywod yr oedd cannoedd o olion traed ffres. Gwelsant ddigon o arwyddion eraill hefyd fod yr ogof wedi cael ei defnyddio'n ddiweddar—hen gadach poced, darnau o gortyn, hen bibell glai a'i choes wedi torri. Ond ni welsant arwydd o'r casgenni bach y carai Thomson ddod o hyd iddynt.

Ymlaen wedyn—heibio i dro yn yr ogof. Yna arhosodd y pump yn stond. Roedden nhw'n clywed sŵn—sŵn lleisiau—llawer o lleisiau. Roedd y sŵn o'u cwmpas ym mhobman—yn pellhau weithiau yna'n chwyddo ac yn eco trwy'r ogof i gyd. Yn rhyfedd iawn ni ddaeth i feddwl yr un ohonynt mai lleisiau'r smyglwyr oeddynt. Roedd rhywbeth yn *arall-fydol* yn y sŵn rywsut! Rhyw leisiau'n hongian yn yr awyr o'u cwmpas oeddynt. Doedd 'na ddim dicter na her yn y lleisiau o gwbwl, ond rhyw hiraeth—rhyw dristwch, fel lleisiau mewn angladd—fel *lleisiau ysbrydion*.

"Dduw Mawr!" sibrydodd Walter Moses mewn dychryn. Cwympodd y lantarn o'i law ar lawr caled yr ogof a chlywyd sŵn y gwydr yn torri. Yna roedd y milwyr yn rhedeg, a Walter Moses hefyd. Cyn i Thomson gael cyfle i ddweud gair roedden nhw wedi diflannu heibio i'r tro yn yr ogof. Plygodd i godi'r lantarn o'r llawr. Yn rhyfedd iawn nid oedd y gannwyll wedi diffodd. Yna roedd y sŵn lleisiau wedi gorffen ac yn awr nid oedd un sŵn ond sŵn traed y milwyr a Walter Moses yn pellhau. Penderfynodd Thomson fynd yn ei flaen, er fod rheswm yn dweud wrtho am droi'n ôl fel y gwnaeth y pedwar arall.

Cyn bo hir daeth i ben draw'r ogof, neu o leiaf, ni allai

weld fod lle na thwll i fynd ymhellach. Ac eto fe deimlai wynt ar ei wyneb. Roedd hwnnw'n dod o rywle. Fe geisiodd edrych i fyny ond ni allai weld golau dydd yn nho'r ogof yn unman. Yna chwythodd y gwynt trwy ffenest doredig y lantarn a diffodd y gannwyll.

Yn awr roedd Thomson mewn tywyllwch dudew heb lygedyn o oleuni yn un man. Nid oedd dim amdani ond troi'n ôl.

Ar ôl cwympo yn ei hyd unwaith a tharo'i ben yn boenus ddwywaith, fe ddaeth drachefn i olwg golau dydd o enau'r ogof. Roedd y lleill yn ei ddisgwyl; yn wir roedden nhw wedi dechrau dadlau ymhlith ei gilydd a dylsen nhw fynd yn ôl i edrych amdano. Yr oedd yn ryddhad mawr iddynt, felly, pan welsant ef yn dod i'r golwg. Ond pan welsant yr olwg filain, ddig ar ei wyneb doedden nhw ddim mor siŵr.

Pennod 13

Eisteddai Bart Thomson yn ei ystafell yng ngwesty'r 'Llong' yn Llangrannog. Gyferbyn ag ef, â'i draed ar ben y pentan, eisteddai Capten Phillips. Roedd y swyddog ifanc newydd swpera'n dda, ac wedi yfed peth o win gorau'r dafarn, a theimlai'n hapus ac yn ddiog. Sgleiniai ei fochau a'i wallt cringoch yng ngolau'r lamp a oedd ar y bwrdd.

Estynnodd Bart Thomson ddarn o bapur iddo.

"Dyma fe i chi, Capten Phillips, y papur ddaeth o Llunden y prynhawn 'ma gyda'r Goets. Mae'r Swyddfa yn Llunden wedi gweld yn dda—ar ôl yr adroddiad anfones i iddyn nhw, i gynnig hanner canpunt i unrhyw un fydd yn gallu rhoi gwybodaeth i ni—gwybodaeth a fydd yn ein galluogi ni i ddal Siôn Cwilt a'i ddwyn e i Lys Barn."

Cydiodd Capten Phillips yn y papur a'i ddarllen.

£50 REWARD! FOR INFORMATION LEADING TO THE ARREST OF THE SMUGGLER KNOWN AS SIÔN CWILT. £10 REWARD FOR INFORMATION LEADING TO THE ARREST AND PROSECUTION OF ANY OF HIS GANG.

SIGNED

Nid oedd y llofnod ar waelod y papur yn glir.

"Hym!" meddai'r Capten, "dyna dipyn o help i ni oddi wrth y Swyddfa yn Llundain. Ydych chi'n meddwl y bydd rhywun yn barod i fentro . . ?"

"Wn i ddim, Capten Phillips. Ond mae hanner canpunt yn swm mawr o arian—yn dipyn o demtasiwn—yn enwedig i bobol dlawd Cwmtydu. Fe fydd rhaid i ni gael copïau o'r notis 'ma i'w hoelio nhw ym mhobman, fel bod y peth o flaen 'u llygaid nhw o hyd—yn 'u temtio nhw. Wedyn siawns na ddaw rhywun . . . Ond yn y cyfamser rhaid i ni beidio bod yn segur, Capten . . ."

Bu distawrwydd yn yr ystafell am dipyn. Yna dywedodd Thomson eto.

"Rwy wedi bod yn meddwl, Capten . . ."

"Ie?"

"Wel, oherwydd yr ogofeydd a'r holl draethau bach sy o gwmpas y lle 'ma—mae ein gobaith ni i ddala'r smyglwyr yn go wan. Tra byddwn ni'n gwylio un traeth mae'r tacle'n glanio'u llwyth ar draeth arall. Y tro nesa mae'n debyg y byddan nhw'n gwneud trefniadau i lanio'r contraband yn rhywle newydd—rhywle, falle, na wyddon ni ddim amdano."

"Eitha gwir."

"Ac fe fyddwn ni'n gneud ffylied ohonon ni'n hunen eto—fel gwnaethon ni neithiwr—yn disgwyl drwy'r nos yng Nghwmtydu a dim byd yn digwydd!"

"Ond beth allwn ni neud, Mr Thomson?"

"Y merlod."

"Beth amdanyn nhw?"

"Mae'r merlod 'na'n dod o rywle, Capten. Maen nhw'n byw—yn pori yn rhywle'r funud 'ma. Fe fydd rhaid i ni i gyd chwilio amdanyn nhw yn ystod y dyddie nesa 'ma. Rhaid i ni chwilio pob ffarm—pob tyddyn."

"Syniad da, Mr Thomson . . . ond mae gen i . . . deimlad . . . wyddoch chi . . . fod dal Siôn Cwilt yn mynd i fod yn dipyn o dasg."

* * *

Trannoeth yn fore yr oedd Walter Moses yng Nghwmtydu yn hoelio copïau o'r rhybudd swyddogol o Lundain ar ddrysau hen sguboriau ac ar glwydi, ac yn Llangrannog roedd ei bennaeth yn gwneud yr un gwaith.

Achosodd y posteri hyn dipyn o gynnwrf yn y ddau bentref. Ni allai'r rhan fwyaf o bobl y ddau bentre bach ddarllen dim, ond ni fuont yn hir, serch hynny yn dod i wybod beth oedd neges y posteri.

Hanner canpunt am fradychu Siôn Cwilt! Aeth yr hanes trwy'r pentrefi a'r ardaloedd cyfagos fel tân gwyllt.

Yna roedd pawb yn siarad am y 'riward' drwy'r ardal i gyd, a llawer yn holi o'r newydd pwy oedd Siôn Cwilt. O ble roedd e wedi dod? Ble roedd e'n byw? Ond i'r rhan fwyaf o bobl yn ardaloedd Cwmtydu a Llangrannog nid oedd Siôn Cwilt yn ddim ond enw—enw fel Bwci-bo neu Jac-y-lantarn—enw y byddai'r mamau'n ei ddefnyddio, fel y dywedwyd i fygwth y plant pan fyddent yn ddrwg neu'n gwrthod mynd i gysgu.

Hyd yn oed i'r smyglwyr nid oedd Siôn Cwilt ond rhyw ledrith o ddyn mewn hen glogyn wedi ei glytio fel cwilt henffasiwn a chwcwll am ei ben i guddio'i wyneb bron yn llwyr. Doedd e ddim ond rhyw gysgod a oedd yn y golwg un funud ac wedi diflannu'r funud nesaf.

I bobol dlawd Cwmtydu roedd hanner canpunt yn *ffortiwn*, a dechreuodd pobl eu holi eu hunain beth a wyddent am Siôn Cwilt. Bu rhaid i'r rhan fwyaf ohonynt gyfaddef ar unwaith mai'r ateb oedd—dim!

Ond yr oedd o leiaf un—a welodd y notis—yn gwybod un o gyfrinachau pwysicaf Siôn Cwilt. Hwnnw oedd Wil Gaer Ddu. Fe wyddai ef lle roedd e'n byw—neu o leiaf— lle roedd y merlod bach yn mynd â'r casgenni brandi ar eu cefnau.

Ac yr oedd un teulu—ac un yn unig—yng Nghwmtydu yn gwybod pwy oedd Siôn Cwilt. Y teulu hwnnw oedd teulu Mari 'Fforin' yn nhafarn Glandon. Ond nid oedd hanner canpunt yn ddigon i wneud i'r un o'r rheini fradychu'r smyglwr i'r Gyfraith.

Y noson honno daeth nifer dda o ddynion y pentre a'r ffermydd cyfagos i'r dafarn. Nid oedd cegin yr hen le wedi bod mor llawn ers tro byd, a thestun y siarad y noson honno oedd y 'riward' o hanner canpunt am wybodaeth a fyddai'n galluogi'r milwyr a'r ecseismyn i ddal Siôn Cwilt.

"Diawch, HANNER CANPUNT," meddai'r dyn bach, Sami, o'r sgiw wrth y tân. "Fe allwn i fyw'n gyfforddus am y gweddill o'n oes ar gymaint â hynna! Fe fydde rhaid i'r Ficer edrych am Glochydd newydd ar unwaith alla i fentro dweud wrthoch chi! Fe fuswn i'n riteiro pe bawn i'n cael hanner canpunt!" Yna roedd y dyn bach yn chwerthin yn gras ac yn codi ei ddiod at ei geg.

"Pe bawn i'n gwbod pwy yw e a ble mae e'n byw . . . myn brain i . . !" Llais gŵr ifanc, gwallt coch a eisteddai yn y gornel bellaf oddi wrth y tân—gwas newydd ffarm Dôl Hir yn ymyl y pentre—wedi dod i Gwmtydu o Sir Gaerfyrddin rai wythnosau ynghynt.

Syrthiodd distawrwydd dros y taprwm gyda'r geiriau hyn, a throdd pobl eu pennau i edrych ar y cochyn. Dechreuodd hwnnw deimlo'n anesmwyth, er na wyddai pam chwaith. Ond fe wyddai wrth yr olwg yn y llygaid o'i gwmpas ei fod wedi rhoi ei droed ynddi. Yna roedd Pierre, mab Mari 'Fforin' yn sefyll o'i flaen ac yn edrych i lawr arno. Yr oedd golwg filain ar ei hwyneb.

"Be—be sy?" gofynnodd yr hogyn, "ydw i wedi dweud rhywbeth o le neu . . ."

Cydiodd Pierre yn ei wasgod a'i dynnu ar ei draed.

"Anghofia di am yr hanner canpunt 'na 'machgen i! Fe fydda i'n gofalu na fydd neb yn bradychu neb yng Nghwmtydu 'ma. Hyd yn oed pe baet ti'n digwydd dod o hyd i ryw wybodaeth am Siôn Cwilt—cadw e i ti dy hunan, gwas, neu fe fydda i'n tynnu hon ar draws dy wddwg di!" Camodd y cochyn yn ôl yn ofnus oherwydd roedd cyllell hir, loyw yn llaw Pierre a honno'n anelu'n syth at ei wddf.

"Wyt ti'n deall?" gofynnodd Pierre.

"Y . . . ydw . . ." meddai'r llanc.

"O'r gore. A phawb ohonoch chi sy 'ma heno . . . rwy'i am roi'r un rhybudd i chi i gyd." Yna roedd e wedi cerdded o'r taprwm i'r cefn heb ddweud un gair arall.

Pwy oedd wedi cyrraedd drws y taprwm yn ystod y ddadl rhwng y cochyn a Pierre, ond Wil Gaer Ddu. Roedd e wedi clywed pob gair a ddywedwyd ac yn awr roedd hanner gwên o gwmpas ei wefusau. Roedd y gwas wedi dod â hanes y poster a'r 'riward' iddo y prynhawn hwnnw ar ôl bod â cheffyl lawr yn yr efail yn y pentre. Yn awr roedd e wedi penderfynu beth oedd e'n mynd i'w wneud. Edrychodd o gwmpas y taprwm i weld a oedd Liwsi yno, ond ni allai ei gweld yn unman. Ble roedd hi? Yn y cefn? Ar y llofft? Neu . . . ? Teimlai'n ddiamynedd eisiau gwybod. Roedd ei mam yn brysur yn mynd o gwmpas â'i stên yn llawn o gwrw i lenwi gwydrau hwn a'r llall ac fe eisteddai Emil yn ymyl y tân yn naddu rhywbeth â chyllell. Gwelodd lygaid duon y llanc yn ei wylio, a theimlodd yn anesmwyth. Tynnodd bot cwrw oddi ar y silff a daeth Mari i'w lenwi iddo. Trodd i siarad â hwn a'r llall ond gan glosio at y drws oedd yn arwain o'r taprwm i gefn y dafarn. O'r fan honno gallai weld ychydig o'r gegin gefn a'r grisiau oedd yn arwain i'r llofft. Roedd ar Wil ofn mentro 'mhellach i gefn y dafarn, oherwydd, er ei fod yn glorwth o ddyn mawr, cryf, roedd arno ofn bechgyn Mari 'Fforin'. Ac roedd e'n gwybod fod Pierre o leiaf yn y cefn yn rhywle.

Yna fe'i gwelodd hi! Roedd hi'n dod i lawr y grisiau â siôl lês, wen dros ei phen a'i hysgwyddau. Nid oedd hi wedi gweld Wil ac ni wyddai fod neb yn ei gwylio.

Chwaraeai gwên fach o gwmpas ei gwefusau cochion ac roedd rhywbeth yn ei llygaid . . .

Cerddodd o waelod y grisiau at ddrws y cefn a chollodd Wil olwg arni. Roedd hi wedi mynd allan drwy'r cefn. I ble? Yfodd Wil ei ddiod yn gyflym a rhoi'r pot gwag yn ôl ar y bwrdd. Yna sleifiodd trwy'r dorf at ddrws y ffrynt. Roedd hi'n noson olau-leuad, er bod rhyw niwl o gwmpas hefyd—yn codi o'r môr ac yn hongian o gwmpas y clogwyni ar bob ochr i'r cwm. Gallai weld siôl wen Liwsi'n glir serch hynny. Roedd hi'n cerdded yn gyflym i gyfeiriad glan y môr. Gadawodd Wil ddrws y dafarn a mynd yn llechwraidd ar ei hôl.

Gwelodd y siôl yn diflannu heibio i dalcen yr hen odyn a chyflymodd ei gamau. Pan ddaeth i ymyl yr odyn ni allai weld Liwsi yn unman. Edrychodd y gyfeiriad y traeth lle roedd y tonnau bach yn torri'n gyson ymysg y cerrig a'r creigiau. Ond nid oedd enaid byw yn symud yn y cyfeiriad hwnnw. Safodd yng nghysgod mur yr odyn i wrando ac edrych o'i gwmpas. Er fod y lleuad yn uchel yn yr awyr—i lawr yng Nghwmtydu rhwng y clogwyni serth ar bob ochr—roedd yna lawer o gysgodion. Ac fe allai'r ferch ifanc fod yn ymguddio ymysg y rheini yn rhywle.

Ond wrth ddigwydd edrych i fyny tua'r llwybr cul oedd yn dirwyn dros y graig fawr uwchben y môr, fe welodd fflach siôl unwaith eto. Dim ond am foment—yna roedd hi wedi diflannu dros y crib y gyfeiriad yr ogof—Ogof y Lleisiau! Beth yn y byd oedd hi'n ei wneud y ffordd honno wrthi'i hunan? Gadawodd Wil Gaer Ddu gysgod mur yr odyn a dechrau dringo'r llwybr peryglus uwch ben y dibyn. Ac o'i ôl trwy'r eithin a'r grug uwchben y llwybr troellog hwnnw—roedd rhywun yn ei ddilyn yntau. Ond ni wyddai Wil mo hynny neu buasai wedi meddwl ddwywaith ynglŷn â mynd ymlaen i gyfeiriad Ogof y Lleisiau.

Aeth yn ei blyg dros grib y graig ac yna gorweddodd yn y rhedyn i edrych o'i gwmpas. Unwaith eto edrychai fel pe bai Liwsi wedi diflannu'n llwyr. Nid oedd neb yn y golwg ar ben y graig ac nid oedd sŵn y môr yn awr yn ddim ond murmur pell. Erbyn hyn fe deimlai Wil Gaer Ddu yn siŵr fod Liwsi wedi dringo'r llwybr uwchlaw'r môr i gwrdd â'i chariad. Beth arall allai hi fod yn ei wneud y ffordd honno wrthi ei hunan? Dechreuodd deimlo'n ddig iawn tuag at bawb a phopeth. Pwy oedd hi wedi mynd i'w gwrdd? Deuai'r un cwestiwn yn ôl iddo o hyd. Beth allai ef ei wneud yn awr? Ofnai fentro yn ei flaen dros y rhostir noeth hwnnw gan y byddai'n hawdd i bawb ei weld o bob cyfeiriad. Ond ni allai droi'n ôl chwaith, gan ei fod mor awyddus i wybod pwy oedd hi wedi mynd i'w gwrdd.

Penderfynodd orwedd yn y fan honno yn y grug nes deuai hi yn ei hôl.

Aeth amser heibio. Roedd y distawrwydd o'i gwmpas fel y bedd. Dechreuodd rhyw bryfed bach o ganol y grug ei gerdded—i fyny dros ei goesau a'i ddwylo a hyd yn oed dros ei wyneb. Ond anghofiodd y cwbwl am y rheini pan glywodd sŵn chwerthin merch heb fod ymhell oddi wrtho. Yna, yn y golau-leuad, gwelodd ddau—yn dynn yn ei gilydd—yn cerdded tuag ato. Ar unwaith sylwodd ar siôl wen Liwsi. Dyn oedd y llall, â'i ben yn noeth a'i wallt yn chwarae yn yr awel ysgafn. Pwy oedd e? Estynnodd ei ben i geisio cael golwg glir ar ei wyneb. Ond roedd y lleuad tu cefn iddo ac nid oedd modd ei weld yn glir. Yna roedd y ddau wedi sefyll hanner canllath oddi wrtho ac wedi cofleidio yng ngolau'r lleuad. Yna clywodd eu lleisiau isel ond ni allai ddeall gair o'r hyn oedd yn cael ei ddweud. Roedd ei waed yn berwi a châi waith gorwedd yn llonydd yn y fan honno. Yna gwelodd y cariadon yn ymwahanu a'r dyn pennoeth yn cerdded yn ôl i gyfeiriad y rhostir a Liwsi'n dod yn ei blaen ar hyd y llwybr.

Ni wyddai Wil beth i'w wneud. Ei syniad cyntaf oedd dilyn Liwsi i lawr y llwybr a'i dal—a'i holi—*gwneud* iddi ddweud wrtho pwy oedd ei chariad. Ond wedyn meddyliodd mai dilyn y dyn fyddai orau. Cyn iddo ddod i unrhyw benderfyniad aeth Liwsi heibio iddo ar hyd y llwybr. Yn y golau leuad roedd ei hwyneb yn wyn a'i llygaid yn disgleirio. Roedd golwg hapus arni ac roedd hi'n amlwg nad oedd wedi ei weld ef yn gorwedd o fewn decllath i'r llwybr—yng nghanol y rhedyn a'r grug. Ar ôl i Liwsi fynd dros y crib edrychodd i weld beth oedd y dyn, a oedd wedi bod yn ei chofleidio funud ynghynt, yn ei wneud yn awr. Roedd e wedi troi i gyfeiriad y rhostir ac yn cerdded yn gyflym trwy'r grug. Yna'n sydyn diflannodd i bwll neu bant yn y rhos a chollodd Wil olwg arno. Ond wedyn gwelodd ef yn dod i'r golwg drachefn— yn glir o dan y lleuad. Curodd calon Wil yn gyflymach, oherwydd roedd y dyn yn awr wedi gwisgo hen glogyn llaes a hwnnw'n glytiau i gyd ac am ei ben yr oedd cwcwll a wnâi iddo edrych fel mynach. SIÔN CWILT!

Roedd e'n iawn felly! Siôn Cwilt oedd cariad Liwsi! Ond pwy oedd Siôn Cwilt? Yn awr fe wyddai beth i'w wneud. Lledodd gwên fileinig dros wyneb y ffermwr ifanc. Roedd e wedi rhybuddio Mari 'Fforin' na châi neb mo Liwsi oni châi ef hi. Ac yn awr roedd e'n mynd i brofi nad bygythiad gwag oedd hwnnw. Roedd e'n mynd i Langrannog cyn gynted ag y medrai—i geisio ennill yr hanner canpunt oedd yn cael eu cynnig gan y Llywodraeth am wybodaeth a allai ddwyn y smyglwr enwog i'r crocbren.

Aeth i lawr dros y llwybr tuag at y traeth unwaith eto— yn frysiog yn awr—heb ofni pwy oedd yn ei weld. Cyrhaeddodd y gwaelod a cherdded heibio i'r odyn at y dafarn lle roedd ei geffyl wedi ei glymu ac yn disgwyl yn amyneddgar amdano.

Ond cyn mynd i Langrannog i weld Thomson roedd yn rhaid iddo fynd i mewn i'r dafarn am ragor o ddiod ac i gael un olwg arall ar wyneb Liwsi. Pan aeth i mewn i'r taprwm roedd Liwsi'n eistedd ar y sgiw wrth y tân yn ymyl ei mam. Roedd nifer o'r cwsmeriaid wedi gadael erbyn hyn ac nid oedd ond ychydig yn yfed o gwmpas y byrddau.

Aeth Wil at y tân ac eistedd ar y sgiw gyferbyn, yn ymyl y clochydd bach—Sami.

"Hylo, Liwsi," meddai, "doeddet ti ddim 'ma pan fues i'n galw gynnau fach! Ble roeddet ti, dwed?"

Gwelodd yr eneth yn gwrido ac am foment meddyliodd mor dlws oedd hi! Cododd ei golygon i edrych arno—ac yn y llygaid duon gwelodd rywbeth nad anghofiai byth— atgasedd, gwawd, balchder. Yna roedd Mari'n siarad.

"Wyt ti eisie rhywbeth i' yfed, Wil? Does bosib fod rhaid i'r eneth 'ma roi gwbod i ti ble mae hi bob munud o'r dydd!"

Clywodd Wil Sami'r Clochydd yn chwerthin yn ei ymyl, a theimlai fel ei daro. Yn lle hynny gofynnodd am gwrw.

Ar ôl cael ei bot yn llawn dywedodd, "Mae'r Siôn Cwilt 'ma wedi mynd yn fachgen pwysig gwlei—fod y Llywodraeth yn barod i dalu hanner canpunt am wybod-aeth amdano fe?"

"Oes gyda ti ryw wybodaeth amdano fe, Wil?" gofynnodd y Clochydd bach.

"Wel," meddai Wil, yn bwyllog, gan syllu i wyneb Liwsi, "rwy'n meddwl 'i fod e'n dod i Gwmtydu 'ma yn amlach nag mae neb yn meddwl."

Cododd Liwsi ei phen i edrych arno, ac yn sydyn fe wyddai! Roedd hi'n gwybod! Yn gwybod fod Siôn Cwilt wedi bod yn Nghwmtydu'r noson honno. Yn gwybod ei bod hi wedi cwrdd ag ef ar y graig uwchben Ogof y

Lleisiau! Roedd y cyfan yn ei lygaid y funud honno! Teimlodd ofn yn cripio o gwmpas ei chalon. Yna roedd Wil wedi codi ei bot cwrw at ei enau a'i ddrachtio i'r gwaelod.

Cododd ar ei draed.

"Wel, nos dawch bawb!" meddai, a cherdded at y drws.

Daeth allan o'r dafarn a neidio ar gefn ei geffyl. Trodd ben hwnnw i gyfeiriad pentre Llangrannog.

Pennod 14

Clymodd Wil Gaer Ddu ei geffyl wrth ddolen yn wal hen dafarn 'Y Llong' yn Llangrannog a cherddodd i mewn i'r taprwm. Roedd y tafarnwr tew yn sefyll yn ymyl y gasgen gwrw a oedd yn gorwedd ar ffrâm bedair troed. Aeth Wil ato'n syth.

"Mr Thomson," meddai, "ble mae e?"

"Oes gyda ti fusnes â Mr Thomson?" gofynnodd y tafarnwr braidd yn anghwrtais.

"Oes, mae e."

"A beth yw hwnnw?"

"Mae gen i wybodeth . . ."

Edrychodd y tafarnwr tew yn graff arno.

"O ie?"

"Am Siôn Cwilt . . ." meddai Wil gan ostwng ei lais.

"O'r gore. Dilyn fi," meddai'r tafarnwr, gan sychu ei ddwylo yn ei ffedog wen a mynd o'i flaen i gefn y dafarn. Arweiniodd Wil i fyny'r grisiau ac ar draws darn o landin cyn dod at ddrws. Curodd y tafarnwr ar y drws a chlywodd Wil lais o'r tu fewn yn dweud rhywbeth. Agorodd y tafarnwr y drws.

"Rhywun i'ch gweld chi, Mr Thomson, syr . . . o Gwmtydu rwy'n meddwl . . . mae e'n dweud fod ganddo fe ryw wybodaeth . . ."

"Dewch ag e i fewn," meddai llais yr ecseisman. Gwnaeth y tafarnwr arwydd ar Wil i fynd i mewn. Pan aeth drwy'r drws gwelodd yr ecseisman yn eistedd wrth danllwyth o dân â gwydryn o frandi llawn ar y pentan yn ei ymyl. Nid oedd neb arall yn yr ystafell.

"A! Pwy sy gyda ni fan hyn, Mr Prydderch? Hym?" Cododd ar ei draed ac edrychodd ar Wil.

"Diolch i chi, Mr Prydderch, awn ni ddim i gadw rhagor o'ch amser chi nawr . . ."

Aeth y tafarnwr tew allan gan fowio i'r ecseisman. Ar ôl i'r drws gau dywedodd Thomson, "Mae'n debyg dy fod ti wedi dod i roi gwybodaeth i fi am Siôn Cwilt? Rwyt ti'n awyddus i ennill yr hanner canpunt?" Gwenodd ar Wil a gwnaeth arwydd arno i eistedd gyferbyn ag ef.

"Pwy wyt ti? Rwy'i wedi dy weld ti o'r blaen—yng Nghwmtydu," meddai Thomson, ar ôl i Wil eistedd. Dywedodd hwnnw wrtho mai ffermwr—mab y Gaer Ddu uwchlaw Cwmtydu oedd e, ond, wrth gwrs, ni ddywedodd mai ef oedd wedi taro'r ecseisman ar ei ben y noson honno pan ddaeth y lyger i'r bae.

"A pha wybodaeth sy gyda ti?" gofynnodd Thomson.

"Fe wn i ble mae'r merlod yn mynd â'r casgenni bach . . ." meddai Wil.

Neidiodd Thomson ar ei draed. "Yn wir? Da iawn! Da iawn!" Cerddodd o gwmpas y stafell unwaith. Yna stopiodd gyferbyn â Wil.

"I ble?" gofynnodd.

"Ymhell o 'ma. Heb fod ymhell o bentre Talgarreg . . . mae 'na hen ros . . . fe'u dilynes i nhw unwaith . . . *croesi'r* ffordd fawr sy'n mynd i Aberystwyth . . . a 'mlaen ar y ffordd i Lanbed dros y tir uchel . . . fe allwn i ddangos y lle i chi . . ."

Eisteddodd Thomson eto a chymerodd ddracht o frandi. Yna estynnodd ei ddwy law at y tân a gwenodd wrtho'i hunan. Roedd pethau'n dechrau symud o'r diwedd.

Edrychodd eto ar Wil Gaer Ddu. "O'r gore, fe gei di wneud hynny. Ond . . . y . . . does dim ofn arnat ti . . ?"

"Ofn Siôn Cwilt? Na, does arna i ddim mo'i ofn e." Serch hynny roedd Wil yn meddwl y funud honno—beth pe bai bechgyn Mari 'Fforin' yn gwybod ble roedd e a beth oedd ei neges gyda'r ecseisman?

116

"Pwy yw 'i ddynion e?" gofynnodd Thomson.

"Y . . . pawb!"

"Pawb?"

"Wel, bron pawb sy'n byw o gwmpas Cwmtydu . . . ffermwyr, gweision ffermydd . . ."

"Fe fydda i am 'u henwau nhw!"

"Na," meddai Wil, "dwy'i ddim yn mynd i fradychu bechgyn Cwmtydu—dim ond Siôn Cwilt."

"Pam Siôn Cwilt? Ai'r hanner canpunt . . ?"

"Mae e'n caru merch y dafarn—merch Glandon." Daeth y geiriau allan yn ddiarwybod bron. Cododd yr ecseisman ei aeliau a gwenodd. Roedd pethau'n gwella bob cynnig!

"Ac rwyt tithe'n 'i charu hi hefyd, wrth gwrs!" meddai Thomson. Ni ddywedodd Wil ddim.

"Wel, beth ŷch chi'n mynd i neud nawr?" gofynnodd ymhen tipyn.

Meddyliodd Thomson am funud.

"Fe fydd rhaid i ni aros nes daw'r llong—y lyger yn ei hôl unwaith 'to . . . rwy'i am 'i ddal e wrthi . . . â'r casgenni brandi a'r merlod a'r cyfan gydag e. Fydd dim lle gydag e i wingo wedyn!"

"Ond dŷch chi ddim, ddim am weld y lle 'na lan ar y rhos?"

"Na! Ddim eto. Rhaid i ni beidio â rhoi rhybudd i'r deryn neu fe fydd yn hedfan. Os gwêl e neu un o'i ddynion ni'n dau lan fforna fe fydd e wedi mynd cyn pen fawr o dro!"

Cododd Wil Gaer Ddu ar ei draed. Roedd e'n teimlo'n siomedig rywsut. "Wel, pan fyddwch chi wedi 'i ddala fe, Mister Ecseisman, peidwch anghofio'r hanner canpunt 'na sy'n troi i fi, newch chi?"

Cododd Thomson hefyd. "O," meddai, "fe fydd siawns gyda ti gael gwell na hanner canpunt pan fyddwn ni wedi

117

dala Siôn Cwilt—fe fyddi di'n gallu priodi merch bert y dafarn . . ."

Yna clywodd y ddau sŵn y tu allan i'r drws. Neidiodd Thomson at y drws a'i agor. Nid oedd neb ar y landin ond gallai glywed sŵn traed buan yn mynd i lawr y grisiau ac yna'n distewi. Safodd y ddau yn y drws yn edrych ar ei gilydd.

"Roedd 'na rywun yn gwrando'r cyfan . . ." meddai Wil Gaer Ddu. Roedd ei wyneb wedi gwelwi ac roedd cryndod yn ei lais.

"Dam-it-ôl!" meddai Thomson yn ffyrnig, gan ruthro at y gloch oedd yn ei stafell a'i chanu'n uchel. Daeth y landlord tew i fyny'r grisiau yn drafferthus ond yn gyflym.

"Welsoch chi rywun? Rhywun wedi bod i fyny'r grisie 'ma i wrando arnon ni?" gofynnodd yn wyllt.

"Y . . . na . . . syr . . . does 'na neb wedi bod i fyny . . . ffor' 'ma . . . fe gymra fy llw."

"Nonsens, ddyn!" meddai Thomson, "*roedd* 'na rywun! Fe glywson ni sŵn 'i draed e'n mynd lawr y grisie 'ma."

"Ond pwy . . ?"

'Welsoch chi ryw ddieithried o gwmpas y taprwm heno, Mr Prydderch?" gofynnodd Wil yn ddifrifol.

"Wel . . . dim neb dierth. Fe fuodd yr hogyn 'na o Gwmtydu—y—mab ienga Mari 'Fforin' yn y taprwm . . . ond fe ddwedes wrtho fe am fynd . . . dwy'i ddim eisie cael y bechgyn 'na o gwmpas y lle 'ma o gwbwl . . . maen nhw'n creu trwbwl lle bynnag y byddan nhw."

"Mab . . . ienga . . . Mari 'Fforin' . . ." meddai Wil yn araf ac yn bwyllog.

Yn sydyn roedd ofn mawr wedi cydio yn ei galon. Roedd Emil wedi ei ddilyn yr holl ffordd . . . ac roedd e wedi clywed—wedi ei glywed e'n bradychu Siôn Cwilt! *Oedd* e wedi llwyddo i glywed? Nid oedd ef na'r ecseisman wedi ceisio gostwng eu lleisiau. Ond roedd y drws ynghau . . . ni allai fod wedi clywed y cyfan? Meddyliodd am y brodyr mileinig—Seimon, Pierre, Emil —y tri chythraul ymladdgar. Os câi'r brodyr wybod ei fod wedi bod gyda'r ecseisman i roi gwybodaeth, gwyddai na fyddai ei fywyd yn ddiogel byth mwy. Gwyddai hefyd y byddai'n mynd mewn ofn i bobman o hynny ymlaen.

* * *

Roedd Bart Thomson yn ddyn diamynedd iawn yn ystod yr wythnos ganlynol. Roedd e'n disgwyl. Yn disgwyl rhagor o bobl i ddod â thystiolaeth yn erbyn Siôn Cwilt a'i smyglwyr—ond yn disgwyl yn bennaf am y lyger i ddychwelyd unwaith eto o Lydaw. Fe fyddai ef a Capten Phillips a'i ddynion yn barod y tro hwn! Roedd ei gynlluniau wedi eu gwneud. Yn dawel bach roedd e wedi dod o hyd i'r hen dŷ unig hwnnw ar y rhos hwnnw uwchlaw pentre Talgarreg, ac roedd e wedi gweld rhai merlod yng nghanol y grug a'r eithin. Diau fod yno nifer fawr ohonynt pe gallai ef fentro'n nes i weld.

Roedd e wedi penderfynu mai trwy'r merlod mynydd hyn yr oedd e'n mynd i ddal smyglwyr Cwmtydu, gan gynnwys eu harweinydd dirgel—Siôn Cwilt.

Yn y gorffennol roedd y contraband wedi dod i dir ar wahanol rannau o'r arfordir—ar draeth Cwmtydu unwaith ond wedyn yn nes i fyny yn rhywle—yn fwy na thebyg wrth enau'r ogof a elwid yn Ogof y Lleisiau. Dyna le rhyfedd oedd hwnnw, meddyliodd. Ogof y Lleisiau! O ble roedd y lleisiau'n dod? Ai'r gwynt oedd yn gyfrifol? Roedd ef a Capten Phillips wedi bod ddwywaith yn yr ogof yn ei harchwilio'n fanwl. Yr ail dro doedden nhw ddim wedi clywed lleisiau o gwbl nac wedi dod o hyd i ddim byd. Hyd y gallent weld doedd dim ffordd yn ei phen draw yn arwain i unman. Roedd iddi do uchel yn ei phen pellaf ac efallai fod rhyw graciau gan y gwynt i wneud sŵn ynddynt—ni wyddai. Ond roedd ofn Ogof y Lleisiau ar y milwyr—oedd, ac arno yntau hefyd, er na chymerai'r byd am gyfaddef hynny.

Erbyn hyn roedd ef o'r farn mai wedi codi'r casgenni bach dros y creigiau tu allan yr oedd y smyglwyr y tro o'r blaen, ac nid wedi eu cuddio yn yr ogof, fel roedd ef wedi credu ar y dechrau.

Ond ble bynnag y deuai'r contraband i dir, fe fyddai angen merlod i gludo'r casgenni bach i ffwrdd. Roedd gormod o gasgenni'n cael eu glanio, fel y gwyddai, i gael eu cario gan ddynion yn unig. Felly, os dilynai'r merlod yn ddirgel, heb yn wybod i Siôn Cwilt a'i ddynion—a'u dilyn i ble bynnag yr aent—*fe fyddent yn ei arwain i'r fan lle byddai'r contraband yn cael ei lwytho ar eu cefnau.* Ac yn y fan honno y byddai'n dal y smyglwyr wrth eu gwaith!

Fe allai, wrth gwrs, fod wedi ymosod ar y tŷ ar y rhos, ac efallai ddal Siôn Cwilt, ond roedd e am ddal y gwalch hwnnw â'r *contraband yn ei feddiant.*

Ond ble roedd y lyger? Roedd hi'n hir iawn yn dod yn ei hôl! A oedd rhywun wedi bod yn gwrando y tu allan i ddrws ei ystafell y noson y daeth Wil Gaer Ddu ato? Os oedd—a oedd Siôn Cwilt a'i ddynion wedi penderfynu rhoi'r gorau iddi ar ôl deall fod Wil wedi eu bradychu?

Doedd dim rhyfedd fod Bart Thomson ar bigau'r drain y diwrnodau hynny.

Roedd hi'n brynhawn dydd Sadwrn pan ddringodd i ben y clogwyn fel arfer â'i delisgop gloyw o dan ei gesail. Roedd tipyn o niwl ar y môr ac ni welodd mohoni ar unwaith. Ond wedyn fe gododd y niwl yn sydyn a dyna lle roedd hi unwaith eto—yr un siâp du, lluniaidd; yr un hwyliau llwydion! Roedd hi wedi dod! Chwythai'r gwynt yn ysgafn a symudai hithau'n ddiog i fyny i gyfeiriad Cwmtydu â'i hwyliau'n llac. Hoeliodd Thomson ei delisgop wrth ei lygad. Gallai weld dynion yn symud ar ei dec. Fe geisiodd weld ei henw ar y bow, ond nid oedd yno unrhyw ysgrifen o gwbwl.

Brysiodd Bart Thomson wedyn—gyda chamau breision ac ambell naid—i lawr y llwybr am y traeth. Cyn gynted ag y cyrhaeddodd y dafarn galwodd ar Capten Phillips ac fe aeth y ddau ar unwaith i wneud eu trefniadau. Ymadawodd Thomson â Llangrannog wrtho'i hunan, ac wedi wisgo mewn cot o frethyn llwyd garw, ac nid yn ei got goch, swyddogol. Ond wedi iddo ddiflannu heibio i'r tro ar y rhiw, fe neidiodd ei was, Walter Moses, i'r cyfrwy a mynd ar ei ôl. Roedd yr ecseisman a Capten Phillips wedi trefnu fod chwech o filwyr yn unig yn mynd am Gwmtydu cyn gynted ag y byddai'n dechrau nosi. Roedd y chwech arall, a'r Capten gyda nhw, i logi'r cwch mwyaf yn Llangrannog, a rhwyfo heibio i drwyn yr ynys am yr Ogof. Ar ôl i'r ecseisman a'i was fynd fe fu'r milwyr yn tendio'u mwsgedi er mwyn gofalu eu bod yn barod i'w tanio pe deuai angen yn nes ymlaen y noson honno.

Yr oedd gan Bart Thomson a Walter daith bell o'u blaenau oherwydd roedden nhw ar y ffordd i fyny tua'r rhostir unig lle roedd y merlod—a'r tŷ gwael hwnnw yng nghanol y grug a'r eithin. Wedi dringo allan o'r pentre a chael y tir gwastad o'i flaen rhoddodd Bart Thomson sbardun i'w geffyl. Dilynodd Walter Moses o hirbell.

Pennod 15

Yr oedd yr haul wedi symud ymhell i'r gorllewin pan gyrhaeddodd yr ecseisman a'i was y rhostir unig (a gafodd ei alw'n ddiweddarach yn Fanc Siôn Cwilt). Safodd y ddau o hirbell yn edrych draw i gyfeiriad yr hen dŷ isel yng nghanol y grug. Gwelodd Thomson ar unwaith fod y merlod yno o flaen y tŷ—nid ar wasgar ar hyd y rhos yn awr—ond yn rhes hir, drefnus â dau ddyn yn gofalu amdanynt. Yr oeddynt yn paratoi am siwrnai! Teimlodd Thomson ias o lawenydd yn ei gerdded. Roedd e wedi dod â'i delisgop gloyw gydag ef ac yn awr cododd hwnnw at ei lygad. Roedd hi'n amlwg fod y merlod yn barod i gychwyn oherwydd roedd y ddau ddyn yn brysur yn cael y rhes hir yn drefnus. Faint o ferlod oedd yno? Roedd rhaid bod yn agos i ddeugain! Ceisiodd graffu ar y ddau ddyn. Roedd y ddau'n edrych yn bur hen ac un ohonynt yn cerdded yn wargam—er yn ddigon ystwyth serch hynny. Barnodd nad Siôn Cwilt oedd yr un o'r ddau. Ble roedd hwnnw tybed? Wedi mynd yn barod am lan y môr?

Yna roedd y rhes hir o ferlod yn symud. Bron ar yr un pryd aeth yr haul i lawr yn goch sarrug trwy rwyg yn y cymylau yn y gorllewin.

Yn araf ac yn drafferthus daeth y merlod allan o'r rhos i'r ffordd. Yn awr roedden nhw'n dirwyn fel neidr ddiog gydag ymyl y clawdd i gyfeiriad y môr.

Roedd hi'n tywyllu'n gyflym pan gychwynnodd Thomson a Walter Moses y ffordd ar ôl y fintai. Teimlai Thomson yn falch fod y nos yn dod, gan y gwyddai y byddai'n gallu dilyn heb gael ei weld pan fyddai wedi tywyllu.

Cyn bo hir roedd y merlod wedi croesi'r ffordd fawr ac wedi mynd ymlaen ac i lawr—am GWMTYDU!

Pan oedd Thomson a Walter yn dilyn o hirbell wrth gynffon y merlod roedd Capten Phillips a'i chwe milwr yn rhwyfo'n araf heibio i drwyn yr Ynys. Nid oeddynt chwythau chwaith am gyrraedd bae Cwmtydu cyn iddi dywyllu. Ond wrth nesáu at yr hafn rhwng y creigiau lle roedd y pentre bach yn llechu, gwelsant olau cochlyd na allent ddeall beth ydoedd am dipyn. Ond yr oedd rhywbeth ynghylch y golau rhyfedd hwnnw a godai ofn ar bob un yn y cwch.

Ond wedi rhwyfo am hanner awr, fe wyddent nad ar draeth Cwmtydu yr oedd y golau—ond yn uwch i fyny. Wedyn roedden nhw wedi sylweddoli mai tân oedd y 'golau'—a'i fod wedi ei gynnau wrth enau Ogof y Lleisiau!

Rhoddodd y Capten orchymyn i'r morwyr beidio â rhwyfo, ac arafodd y cwch ac yna sefyll yn ei unfan yn siglo'n ôl ac ymlaen gyda symud y môr. A dweud y gwir, ni wyddai'r Capten beth i'w wneud nesaf. Nid oedd ef na'r un o'i filwyr yn awyddus i fynd am yr ogof. A pheth arall, doedd Bart Thomson ddim am iddo ddal neb nes byddai'r contraband yn eu dwylo.

Yna gwelsant y lyger ddu'n symud i mewn i olau'r tân. Yn awr gallent weld silŵet clir ohoni rhyngddynt a'r fflamau wrth enau'r ogof. Roedd hi'n paratoi i ddadlwytho. Rhoddodd Capten Phillips orchymyn i'r rhwyfwyr symud yn nes—yn ara bach ac yn ddistaw. Cyn bo hir llithrodd y cwch i mewn dan gysgod y creigiau rhwng yr ogof a thraeth Cwmtydu. O'r fan honno gallent weld y cyfan oedd yn mynd ymlaen o gwmpas genau'r ogof heb fod yn y golwg eu hunain.

Yn fuan iawn gwelsant ugeiniau o gasgenni bach yn dod i dir a llawer o gysgodion tywyll yn dod i'r golwg ac yn diflannu i mewn i'r ogof yn awr ac yn y man. Roedd hi'n amlwg ble roedd y contraband yn mynd—i mewn i Ogof y Lleisiau.

Roedd y lleuad wedi codi pan gyrhaeddodd y merlod bach yr eglwys uwchben Cwmtydu. Yno fe wnaeth y ddau ddyn a oedd yn eu gyrru beth rhyfedd iawn—sef agor clwyd y fynwent a gyrru'r merlod i mewn!

Fe fu bron iawn i Bart Thomson wneud camgymeriad mawr pan ddaeth gyferbyn â'r hen fynwent. Fe fu bron â mynd heibio i gyfeiriad Cwmtydu, gan gredu fod y merlod yn mynd yn eu blaenau o hyd. Ond pan oedd gyferbyn â chlwyd y fynwent clywodd sŵn y merlod yn gweryru y tu allan i'r clawdd. Ffrwynodd ei geffyl ac edrychodd dros y clawdd. Yn y golau-leuad gwelodd hwy—nid yn pori ar wasgar—ond yn sefyll yn un rhes drefnus wrth glawdd pellaf y fynwent.

Fe deimlai'r ecseisman yn gynhyrfus iawn. A oedd y ddau ddyn wedi clywed sŵn carnau ei geffyl yn dod i lawr y ffordd? Fe wyddai beth i'w wneud yn awr. Disgynnodd oddi ar gefn ei geffyl yn ddistaw. Clymodd ffrwyn yr anifail wrth gangen yng nghlawdd y fynwent. Yna cerddodd yn ôl ar flaenau ei draed i gwrdd â'i was. Ofnai y byddai hwnnw'n dod ac yn gwneud rhywbeth i darfu'r dynion yn y fynwent, cyn y byddai ef yn barod. Cyn bo hir clywodd sŵn carnau ceffyl Walter Moses yn dod i lawr y ffordd yn hamddenol. Cododd o'r clawdd a sefyll ar ganol y ffordd gan wneud chwibaniad isel yr un pryd. Oni bai iddo glywed y chwibaniad cyfarwydd, mae'n debyg y byddai Walter wedi cael dychryn wrth weld y ffurf tywyll yn codi'n sydyn o'r clawdd ac yn sefyll ar ganol y ffordd yn y golau-leuad.

Cydiodd Thomson yn ffrwyn ceffyl ei was.

"Maen nhw wedi mynd i mewn i'r fynwent," meddai.

"I'r fynwent!" Roedd llais Walter yn grynedig.

"Ie. Rhyfedd iawn yntefe, Walter? Ond rywsut neu'i

gilydd, mae Siôn Cwilt a'i ddynion yn cael y contraband lan o'r môr i rywle'n agos i'r fynwent. Naill ai maen nhw'n cario'r casgenni bach lan dros y creigiau a thrwy'r drain a'r eithin i'r fan yma, neu mae ganddyn nhw ffordd drwy'r ogof—Ogof y Lleisiau . . ."

"Ond fe fuon ni'n chwilio'r ogof . . . doedd 'na ddim lle yn y pen draw . . ."

"Ie—wel—falle nag oedd e; ond efalle na fuon ni ddim yn edrych yn ddigon manwl, Walter. Ond fe fyddwn ni'n gwybod cyn bo hir nawr. Os ydy'n cynllunie ni'n mynd i weithio heno, fe fyddwn ni'n gwbod y cyfan cyn y bore. Nawr rwy'i am i ti fynd lawr i'r pentre i mofyn help. Rwy'i am i ti ddod â'r milwyr sy lawr yn y pentre i fyny ata i fan hyn. Fe fydd Capten Phillips a'r lleill yn cadw llygad ar y ogof o'r môr ac fe fyddan nhw'n gofalu na fydd dim contraband yn dod i dir ar draeth Cwmtydu heno. Nawr rwy'i am i ti fynd heibio i'r fynwent gan chwiban neu fwmian canu neu rywbeth, i'r ddau ddyn 'na feddwl mai rhyw deithiwr bach diniwed ar 'i ffordd adre wyt ti—yn drwgdybio dim. Wyt ti'n deall?"

Dywedodd Walter ei fod yn deall a chyda hynny cychwynnodd ar ei daith i lawr y rhiw. Clywodd Thomson ef yn ceisio chwiban rhyw diwn ryfedd wrth fynd heibio i'r fynwent. Yna roedd sŵn y chwiban a sŵn carnau ei geffyl wedi distewi yn y pellter. Aeth yr ecseisman yn ei ôl yn ddistaw bach i gyfeiriad yr eglwys.

Roedd ei geffyl yn pori'n dawel yng nghysgod y clawdd uchel. Aeth at glwyd haearn y fynwent ac edrych i mewn. Yng ngolau'r lleuad safai'r hen gerrig beddau fel milwyr, er fod rhai ohonynt yn gwyro fel pe baent wedi blino sefyll yno mor hir.

Edrychodd i gyfeiriad clawdd pellaf y fynwent lle roedd e wedi gweld y merlod yn sefyll. Cododd ei law i rwbio'i lygaid mewn syndod—oherwydd nid oedd yr un merlyn yn y golwg yn awr. Ond . . . ble yn y byd y gallen nhw fod? Doedden nhw ddim wedi dod allan i'r ffordd yn ystod yr amser byr y bu ef yn mynd i fyny'r ffordd i rybuddio Walter Moses?

Cododd glicied clwyd y fynwent. Yna agorodd hi gan bwyll bach. Ond er mor ofalus y buodd e, fe wnaeth yr hen glwyd sŵn ar ei hechel fel enaid mewn poen.

Aeth trwodd ac i fysg y cerrig beddau yn ei gwrcwd. Na, nid oedd sôn am y merlod na'r ddau ddyn yn unman. Cyrhaeddodd y clawdd pellaf a gwelodd adwy a oedd yn ddigon mawr i'r merlod fynd trwyddi. Safodd yn y twll yn edrych i lawr am y môr. Rhyngddo â'r môr yr oedd tir gwyllt yn llawn drain a drysi i gyd—y math o dir lle gallai merlod bach fel rhai Siôn Cwilt ymguddio'n hawdd. Dechreuodd Thomson deimlo'i dymer ddrwg yn cael y gorau arno eto. A oedd y dihirod yn mynd i wneud ffŵl ohono drachefn? Cerddodd drwy'r twll yn y clawdd a dilyn rhyw fath o lwybr aneglur drwy'r drysi. Bob yn awr ac yn y man safai i wrando am unrhyw sŵn. Unwaith meddyliodd iddo glywed sŵn un o'r merlod yn gweryru ond ni allai fod yn siŵr. Yna digwyddodd edrych yn ôl dros ei ysgwydd i gyfeiriad y fynwent.

Neidiodd ei galon i dwll ei wddf. *Roedd ffenestri'r eglwys yn olau i gyd!* Rhedodd yn awr—yn ôl ac i fyny'r llwybr— gan faglu unwaith neu ddwy mewn mieri a oedd yn tyfu fel nadredd dros y lle. Pan ddaeth i'r twll yn y clawdd stopiodd i gael ei wynt. Roedd e yn ymyl yr eglwys yn awr. Oedd, roedd ei ffenestri'n olau i gyd! Disgwyliai bob munud glywed sŵn gweddïo neu sŵn canu . . . Aeth yn ddistaw ar draws porfa'r fynwent—at y drws.

Roedd e'n gil-agored. Tynnodd Thomson ei bistol a phwysodd â'i law yn erbyn y drws i'w agor led y pen. Yn ymyl yr allor a'r pulpud ym mhen pella'r eglwys safai dyn mewn gwisg hir, dywyll—fel gwisg mynach—ond heb gwcwll am ei ben. Roedd ei gefn tuag y drws.

"Hei! Ti!" gwaeddodd Thomson, gan godi ei bistol yn barod i danio. Trodd y dyn wrth yr allor i edrych arno—ac adnabu'r ecseisman ef ar unwaith. Y Ficer!

"Mr Thomson!" meddai'r Ficer, gan gydio mewn canhwyllbren a thair cannwyll ynghyn arno, oddi ar yr allor, a dod i lawr yr eil i gwrdd â'r ecseisman. Gwelodd y pistol mawr â'i faril yn anelu'n syth at ei fynwes.

"Beth . . . ? Beth sy'n bod, Mr Thomson?" gofynnodd.

"Peidiwch â chware â fi, Ficer," meddai Thomson yn ffyrnig, "ble maen nhw?"

"Y . . . pwy ŷch chi'n feddwl, syr?"

Ysgydwodd Thomson ei ben yn ddiamynedd. "Fe wyddoch chi'n iawn! Y ddau ddyn 'na . . . a'r merlod. Peidwch ceisio dweud wrthw i, Ficer, na wyddoch chi ddim fod y lyger mas yn y bae a bod llwyth o gontraband yn ca'l i landio'r funud 'ma . . ."

Cododd y Ficer ei law, "Gan bwyll, Mr Thomson, gan bwyll!" meddai. "Peidiwch da chi â 'nghyhuddo i—Ficer Plwy Llandysilio—o guddio smyglwyr yn yr eglwys 'ma! Merlod, ddwedsoch chi? Ydych chi'n credu fod merlod yn cael 'u cuddio yn yr adeilad 'ma yn rhywle?"

"Rŷch chi'n cellwair, syr!" meddai'r ecseisman. "Rwy'i am edrych o dan bob sedd, yn y pulpud, dan y bwrdd—pobman. Ŷch chi'n deall? Ficer y plwy neu beidio—does gen i ddim ffydd ynoch chi. Does gen i ddim ffydd mewn un enaid byw yn ardal Cwmtydu. Synnwn i ddim nad ŷch chi i gyd yn smyglwyr—pob un ohonoch chi! Ŷch chi'n clywed!"

Gwthiodd faril ei bistol i fol crwn y Ficer wrth ddweud hyn. Roedd hi'n hawdd gweld ei fod wedi ei gynhyrfu drwyddo.

"Croeso i chi chwilio ble mynnoch chi, Mr Thomson, ac fe ddalia i'r golau i chi gyda phleser."

"Dewch â'r golau i fi, syr!" meddai Thomson yn anghwrtais. Cydiodd yn y canhwyllbren yn ddi-seremoni o law'r Ficer a dechrau chwilio rhwng pob sedd a than bob sedd yn ofalus, er ei fod yn gwybod yn ei galon na fyddai'n dod o hyd i neb na dim.

"Beth ŷch chi'n 'i neud yn yr eglwys yr amser 'ma o'r nos, Ficer?" gofynnodd yn sydyn, ar ôl chwilio pob twll a chornel heb gael dim ôl o ddim.

"Y . . . fi? O, fe fydda i'n dod 'ma ar nos Sadwrn bob amser—i baratoi ar gyfer y gwasanaeth bore fory ŷch chi'n gweld."

"Hy!" meddai Thomson, "beth sy gyda chi i baratoi, Ficer?"

"Wel, yr emynau a'r gwasanaeth wyddoch chi . . ."

"Debyg iawn, debyg iawn." Roedd yr ecseisman yn ddiamynedd eisiau gadael yr eglwys yn awr, ar ôl gweld nad oedd neb yno ond y Ficer. Ond cyn ymadael trodd unwaith eto at y Ficer, ac meddai, â'i lais yn chwerw,

"Cofiwch un peth, Ficer, os ŷch chi'n un o smyglwyr Cwmtydu, neu wedi 'u helpu nhw mewn unrhyw fodd— fydd y ffaith eich bod chi'n offeiriad—yn Ficer y plwy— ddim yn eich cadw chi o'r carchar, coeliwch chi fi!"

"Mr Thomson!" meddai John Dafis. "Mae'n rhaid i fi ddweud 'mod i'n synnu eich bod chi'n drwgdybio Person fel fi! Fe fyddwch chi'n drwgdybio Sgweier Parri'r Glasgoed gyda hyn!"

"Hwnnw hefyd! Dewch, gadewch i ni fynd, Ficer, rhag i chi orfod dweud rhagor o gelwyddau o fewn muriau eich eglwys eich hunan."

Aeth y Ficer o'i flaen am y drws heb ddweud rhagor. Yr oedd yntau hefyd yn awyddus i weld y swyddog busneslyd yn ymadael â'r eglwys—ond am reswm gwahanol!

Wrth y drws tynnodd y Ficer allwedd o boced ei gasog a'i rhoi yn y clo.

"Cloi'r eglwys, Ficer?" meddai Thomson yn ddrwg-dybus, "rown i'n meddwl fod drws yr eglwys ar agor i bawb ddydd a nos . . ?"

"Mae hynny'n wir fynychaf—am eglwys Llandysilio, syr. Ond heno—am 'i bod hi'n nos Sadwrn a'r llestri Cymun allan yn barod erbyn y bore . . . fe fydda i'n cloi'r drws bob nos Sadwrn. Mae'n debyg gen i fod yn well gan y rhan fwyaf o ddynion Cwmtydu y taprwm yn Glandon ar nos Sadwrn, am ryw reswm . . ."

Trodd yr allwedd fawr yn y clo a syrthiodd y pâr i'w le gyda chlec uchel.

"Nawr, Ficer!" meddai Thomson, "ewch i'r Ficerdy, syr, ac arhoswch yno. Dwy'i ddim am eich gweld chi o gwmpas heno mwy—ŷch chi'n deall?"

"Dwy'i ddim yn hoffi cael gorchmynion felna, Mr Thomson. Ond fydda i ddim yn mynd allan heno mwy—os na ddaw galwad amdana i i ymweld â rhywun sy'n wael iawn neu rywbeth . . . Os daw galwad felly, fydda i ddim yn gofyn i chi na neb arall. Nos da i chi, syr."

Camodd y Ficer ymaith ar hyd llwybr y fynwent tuag at y Ficerdy. Wrth fynd gwenai wrtho'i hunan. Pe bai'r ecseisman yn gwybod yn iawn beth oedd ef yn ei wneud yn yr eglwys y noson honno!

Yn fuan wedyn daeth Walter Moses a'r chwe milwr i fyny'r rhiw o'r pentre. Ond erbyn hynny doedd Bart Thomson ddim yn siŵr beth i'w wneud â nhw, na beth i'w wneud nesaf. Roedd y merlod wedi diflannu, a'r ddau ddyn hefyd—fel pe bai'r ddaear wedi eu llyncu. Ond roedd y merlod yna wedi dod i lawr o'r rhostir pell gerllaw Talgarreg—er mwyn cludo llwyth o gontraband o Gwmtydu! Fe deimlai'n siŵr fod y contraband yn cael ei lanio'r funud honno yn yr ogof—ac fe fyddai angen y merlod eto i gludo'r llwyth dros y rhiwiau serth i'r briffordd a thu hwnt. Ac roedd y merlod wedi diflannu trwy dwll yng nghlawdd pellaf y fynwent—fe deimlai'n siŵr o hynny—felly roedd rhaid chwilio amdanynt rhwng y twmpathau drain ac eithin yn yr anialwch rhyngddynt â'r môr. Teimlai Thomson dipyn yn ddigalon wrth arwain ei fintai fechan trwy'r twll yng nghlawdd y fynwent. Fe deimlai yn ei esgyrn fod Siôn Cwilt yn mynd i gael y gorau arno unwaith eto.

A thra roedd ef yn chwilio'r drysi am y merlod roedd pethau rhyfedd yn digwydd y tu mewn i'r hen eglwys lwyd ar ben y rhiw. Pe bai Thomson yno—fe fyddai wedi gweld—yn y golau-leuad trwy'r ffenestri lliw—un o lechi llyfn y llawr yn codi ac yn symud o'r neilltu a dyn mewn hen glogyn carpiog, â chwcwll am ei ben—yn dod i fyny drwy'r twll—fel ysbryd yn codi o'r bedd. Yna roedd dau ŵr ifanc, cadarn o gorff wedi dod i fyny hefyd. Y rheini oedd Pierre a Seimon, dau fab hynaf Mari 'Fforin'. Yn union wedyn roedd y casgenni bach wedi dod i fyny trwy'r twll yn y llawr—o un i un—ac felly am dros awr o amser, nes oedd llawr eglwys Llandysilio yn gasgenni drosto i gyd!

Erbyn hynny, i lawr yn y drysi i gyfeiriad y môr, roedd Thomson a'i ddynion wedi dod o hyd i bump o'r merlod bach, ond er gwaethaf cymaint â hynny o lwyddiant, roedd yr ecseisman fel dyn gwallgof. Roedd e wedi meddwl mai'r merlod oedd y ddolen bwysig yn y gadwyn—ond erbyn hyn doedd e ddim mor siŵr. Beth oedd yn mynd ymlaen? O, roedd angen *cant* o filwyr arno i ddal smyglwyr Cwmtydu! Beth oedd dwsin o ddynion i wylio'r holl draethau bach a'r ogofeydd?

Penderfynodd adael y merlod a mynd ar unwaith am Gwmtydu. Efallai fod amser eto i'w dal nhw yn yr ogof. Ond gadawodd Walter Moses ac un o'r milwyr ar ôl yn y fynwent—i wylio.

Pennod 16

Pan gyrhaeddodd Thomson a'i ddynion Gwmtydu, ni thrafferthodd alw yn nhafarn Glandon, gan ei fod mewn brys i gyrraedd yr ogof, ac i ymuno â Capten Phillips a'r lleill. Heb ofyn caniatâd neb fe roddodd orchymyn i'r milwyr wthio'r cwch mwyaf a orweddai ar y traeth caregog—i'r môr. Yna roedd yntau a'r milwyr wedi mynd iddo a dechrau rhwyfo'n gyflym i gyfeiriad yr ogof. Wedi mynd heibio i drwyn y graig gwelsant fod y lyger yn symud yn araf allan i'r môr. Ond roedd tân yn llosgi wrth enau'r ogof o hyd. Cyn gynted ag y gwelodd Capten Phillips gwch yn rhwyfo o gyfeiriad Cwmtydu rhoddodd orchymyn i'w ddynion rhwyfo i'w cwrdd, a gadael cysgod y graig lle roedden nhw wedi bod yn llechu.

Edrychodd Thomson, a oedd yn eistedd ym mhen blaen y cwch, ar draws y dŵr arian, ar y lyger dywyll fan draw. O, fel y carai weld y llestr yn taro craig neu rywbeth, fel y gallai ef gael ei ddwylo ar ei chriw! Yn sydyn cydiodd mewn mwsged o law milwr yn ei ymyl ac anelodd at y llong. Goleuodd fflach y powdwr yn tanio wynebau pawb yn y cwch. Yna torrodd sŵn yr ergyd ar draws y distawrwydd. Yna—fel pe bai rhywrai'n tanio'n ôl—daeth eco'r ergyd atynt ar draws y dŵr o gilfachau'r creigiau uchel ac o'r ogofeydd. Edrychodd Capten Phillips ar Thomson gan godi ei aeliau. Fe wyddai fod y llong yn rhy bell i gael dim niwed.

Daeth y ddau gwch at enau'r ogof. Llosgai'r tân yn fywiog o hyd ond nid oedd enaid byw yn y golwg. Glaniodd y milwyr yng nghwch Thomson yn gyntaf ac aethant ar ôl yr ecseisman i mewn i'r ogof gan godi darnau o goed o'r tân i roi golau iddynt yn y tywyllwch. Yna

131

roedd Capten Phillips a'i ddynion wedi glanio hefyd. Rhedai Thomson fel dyn gwyllt drwy'r ogof, gan ddal ffagl a honno'n fflamio, uwch ei ben.

Roedd digonedd o olion traed yn y tywod wrth enau'r ogof—yn profi fod y smyglwyr wedi bod yno, ond yn nes i mewn, lle roedd llawr yr ogof yn graig galed—nid oedd dim olion traed.

Yna clywodd Thomson a'r milwyr i gyd sŵn a yrrodd ias o ofn trwy gefn pob un—sŵn lleisiau! Safodd pawb yn stond. Roedd y sŵn yn chwyrlïo o gwmpas yr ogof—o'u cylch ym mhobman. Os mai siarad oedd y lleisiau nid oedd y geiriau'n eglur o gwbl—dim ond rhyw furmur yn chwyddo ac yn lleihau. Ond wedyn torrodd sŵn uwch a mwy sinistr ar eu clustiau—sŵn chwerthin gwallgof a hwnnw'n eco o bob cyfeiriad. Edrychodd Thomson ar Capten Phillips ac edrychodd y milwyr ar ei gilydd. Yna roedd y sŵn rhyfedd wedi darfod a'r ogof yn ddistaw unwaith eto oni bai am sŵn 'drip! drip!' diferion dŵr o'r to.

Y tro hwn nid oedd y smyglwyr wedi gadael hyd yn oed un gasgen wag nac unrhyw beth arall a allai helpu'r rhai a oedd ar eu trywydd.

"Y lleisiau 'na . . . a'r sŵn . . . o ble mae e'n dod?" gofynnodd Capten Phillips.

Edrychodd Thomson arno fel pe bai yn ei gasáu. "O'r *cythraul*, synnwn i ddim, Capten!"

O un i un aeth y ffaglau allan, ac er bod digon eto yn fflamio yn y tân wrth enau'r ogof, nid oedd hyd yn oed Thomson am aros rhagor yn y fan honno.

Fry ar ben y rhiw roedd Walter Moses a'r milwr—dyn o'r enw Red Buckley—yn disgwyl i rywbeth ddigwydd, ac yn ofni'r un pryd. Roedd y ddau'n pwyso ar fur yr eglwys lle roedd cysgod rhag y gwynt, ac yn cadw llygad weithiau ar y merlod—bump ohonynt—oedd yn pori yn awr yng ngwaelod y fynwent. O'u cwmpas i gyd roedd y cerrig beddau distaw a phorfa lwyd y fynwent yn cael ei chribo gan y gwynt. Unwaith neu ddwy meddyliodd Walter Moses iddo glywed sŵn o'r tu fewn i'r eglwys. Cododd hyn ddychryn arno, ond cysurodd ei hunan trwy roi'r bai ar y gwynt o gwmpas y to a'r clochdy.

"Mae 'na rywbeth wedi mynd o le ar ein trefniade ni heno 'to," meddai Walter, er mwyn dweud rhywbeth i dorri ar y distawrwydd llethol.

Ni ddywedodd y milwr yr un gair, dim ond gwneud rhyw sŵn yn ei wddf.

"Dwy'i ddim yn hoffi'r lle 'ma o gwbwl—y Cwmtydu 'ma. Dyma'r lle gwaetha rwy'i wedi bod ynddo fe erioed . . . mae *pawb* yn ein herbyn ni 'ma. Does neb yn barod i gefnogi'r Gyfraith yn y lle 'ma."

Unwaith eto nid atebodd y milwr, dim ond gwneud sŵn yn ei wddf i ddangos ei fod wedi clywed. A thu fewn i'r eglwys roedd clustiau'n dynn wrth y ffenest yn ceisio gwrando ar eiriau Walter.

Yna clywodd y ddau sŵn—na ellid beio'r gwynt amdano. Sŵn canu aflafar! Roedd e'n dod o gyfeiriad Cwmtydu—yn bell ar y dechrau ond yn dod yn nes o hyd. Weithiau fe âi'r llais aflafar yn ddistaw am dipyn, yna cychwynnai wedyn—yn uwch na chynt. Gwrandawodd y ddau yn y fynwent yn astud. Cyn bo hir roedd y canwr wedi dod yn ddigon agos iddynt ddeall geiriau'r gân.

"Mae casgen fach o frandi
Yn dda i druan gwan,
A lawr ar draeth Cwmtydu
Y golchwyd hi i'r lan.
Ho-ho-ho! Ha-ha-ha!
Mae glasied fach o frandi'n dda-dda-dda!"

Erbyn hyn roedd y canwr aflafar wedi cyrraedd hyd at yr eglwys. Distawodd y canu unwaith eto a chlywodd y ddau oedd yn gwrando sŵn traed yn dod at glwyd y fynwent. Yn y golau-leuad gwelsant ddyn yn sefyll ac yn edrych i mewn trwy'r glwyd haearn.

"Hei! Beth ŷch chi'n neud fanna'r tacle?" gwaeddodd y dyn. Roedd ei dafod yn dew a hawdd deall ei fod wedi meddwi. Erbyn hyn roedd Walter wedi darganfod pwy oedd. Y Clochydd bach, cecrus—Sami—ar ei ffordd adref o dafarn Glandon! Ond a oedd e wedi ei weld ef a'r milwr yng nghysgod mur yr eglwys?

Yna roedd y dyn bach, meddw'n agor y glwyd ac yn dod i mewn i'r fynwent.

"Ewch mas o fan hyn!" gwaeddodd. "Mas â chi!"

Yna sylweddolodd Walter mai wedi gweld y *merlod* yng ngwaelod y fynwent roedd e. Erbyn hyn roedd y Clochydd yn mynd i lawr at y merlod gan gweiddi, "Shw! Shw! Whishŵ!" Wrth weld y merlod yn dechrau gwylltio, camodd Walter a'r milwr allan o gysgod mur yr eglwys a mynd ar ôl y dyn bach.

Gwelodd yntau hwy wedyn a safodd yn stond.

"Hei! Pwy ŷch chi te? Chi bia'r merlod 'ma? Does gyda nhw ddim hawl pori yn y fynwent . . ."

Yna adnabu Walter Moses.

"Ho! Ho! Yr ecseishman *bach*! A phwy yw hwn—hym?" Pwysodd ymlaen i geisio edrych i wyneb y milwr, a chwympodd ar ei ben-ôl ar y borfa. Ni wnaeth ymrhyw ymgais i godi, ond dechreuodd ganu eto ar dop ei lais, "Ho-ho-ho! Ha-ha-ha!"

Cydiodd Buckley'r milwr yn ei war a'i godi ar ei draed a'i ddal i fyny ag un llaw nes oedd ei draed ond yn prin gyffwrdd â'r llawr.

Aeth y dyn bach yn gacwn.

"Gadewch fi'n rhydd!" gwaeddodd ar dop ei lais, "gadewch fi'n rhydd! Ewch mas o'r fynwent 'ma . . . chi a'r ceffyle 'na! Fi sy bia'r fynwent 'ma!"

"Sh!" meddai Walter Moses mewn dychryn, waeth roedd llais y dyn bach yn ddigon uchel i ddeffro'r meirw. "O'r gore," meddai wedyn, gan geisio tawelu'r Clochydd, "ti bia'r fynwent . . ."

"A'r eglwys 'ma! Fi sy'n gofalu am bob peth ffor' hyn, a rwy'i am i chi fynd mas trwy'r glwyd 'co neu . . ."

"Neu beth?" gofynnodd y milwr gan ei ysgwyd fel cath yn ysgwyd llygoden.

"Neu fydda i'n gweiddi ar Siôn Cwilt . . ."

Gollyngodd y milwr ef yn rhydd a syrthiodd y Clochydd bach i'r llawr eto.

"Ho-ho-ho! Ha-ha-ha!" Roedd e wedi dechrau canu drachefn.

Rhoddodd Walter Moses gic iddo yn ei ochr a stopiodd y canu'n sydyn.

"Ble rwyt ti'n byw?" chwyrnodd Walter.

Cododd y Clochydd o'r llawr heb gymorth neb yn awr. Edrychodd yn wawdlyd ar Walter. "Wel, wel, ecseisman *bach . . ."*

"Ble rwyt ti'n byw?" gofynnodd y milwr gan afael yn ei war eto.

"Lan fanco," meddai, gan gyfeirio at fwthyn yr ochr arall i'r ffordd ac ychydig yn uwch na'r eglwys. Gwnaeth y milwr arwydd ar Walter Moses a chydiodd y ddau ynddo—un ymhob braich a'i hanner-lusgo ar draws y borfa a thrwy'r glwyd.

"Hei, ecseisman, gad fi'n rhydd, gad fi'n rhydd!" Roedd bloeddiadau'r dyn bach yn swnio'n ofnadwy o uchel ar draws distawrwydd y nos. Yna roedd y milwr wedi rhoi ei law fawr ar draws ei geg, ac aeth y bloeddio yn ddim ond mwmial isel.

Cyn gynted ag yr aeth y tri drwy'r glwyd ac allan i'r ffordd, sleifiodd ffurf dyn mewn dillad hir, tywyll fel gwisg mynach heibio i dalcen yr eglwys ac at y drws. Pe bai Walter Moses a'r milwr yn y fynwent y funud honno fe allent fod wedi clywed clec y drws yn cael ei ddatgloi ac yna'r drws yn gwichian ar ei echel. Ac fe allent fod wedi gweld nifer o ddynion yn dod allan o'r eglwys ac yn mynd yn eu plyg yn gyflym gyda chysgod y mur am y twll yn y clawdd ym mhen pella'r fynwent—ac yna'n diflannu. Ond pan ddaeth Walter a'r milwr yn ôl roedd drws yr eglwys wedi ei gloi unwaith eto a'r ffurf tywyll wedi sleifio ymaith ar hyd y llwybr oedd yn arwain i'r ficerdy.

* * *

Roedd hi'n fore Sul trannoeth, a chyda gwawr y dydd roedd Bart Thomson, Capten Phillips a deg o filwyr yn closio trwy'r grug a'r eithin at yr hen dŷ ar y rhos lle roedd Siôn Cwilt yn byw. Erbyn hyn roeddent yn gylch am yr hen le ac yn mynd yn nes ato o dwmpath eithin i dwmpath eithin. Yng ngolau llwyd y bore edrychai'r lle'n dlawd ac adfeiliedig iawn ac nid oedd arwydd o fywyd o gwmpas yn un man. Ond wedyn gwelodd Thomson, a Capten Phillips, a oedd yn cyrcydu yn ei ymyl tu ôl i dwmpath eithin—ddrws yr hen dŷ yn cil-agor ac yna'n cau. Edrychodd y ddau ar ei gilydd a daeth gwên fileinig dros wyneb yr ecseisman. Cododd o'r tu ôl i'r twmpath eithin â'i bistol mawr yn ei ddwrn, a cherddodd heb geisio ymguddio rhagor, ar draws y darn rhostir a oedd rhyngddo a'r tŷ. Daeth Capten Phillips wrth ei gefn ar ôl gwneud arwydd ar y milwyr i gau am yr hen le o bob cyfeiriad. Safodd Thomson wrth y drws, a oedd ynghau erbyn hyn. Yna rhoddodd gic iddo â'i droed. Agorodd yr hen ddrws yn araf ar ei echel a syrthiodd darn o bren pwdr o'i waelod lle roedd esgid Thomson wedi ei daro. Doedd e ddim hyd yn oed wedi ei gau yn iawn! Siglai yn ôl ac ymlaen yn awr, yn y gwynt. Camodd Thomson dros y trothwy. Fe'i cafodd ei hun mewn ystafell dywyll ag arogl mwg tân mawn ynddi. Gwibiai llygaid yr ecseisman o un man i'r llall drwy'r hanner tywyllwch ond nid oed neb yn y stafell. Ar y llawr roedd pentwr o rug a hen flanced fawlyd dros hwnnw. Gwyddai mai gwely garw pwy bynnag oedd wedi bod yn byw yn y tŷ—ydoedd. Daeth Capten Phillips i mewn ato. Roedd y to mor isel nes y bu rhaid i'r gŵr tal hwnnw sefyll yn ei blyg rhag taro'i ben. Pan ddaeth eu llygaid yn fwy cyfarwydd â'r hanner tywyllwch gwelsant hen degell du yn ymyl y lle tân a hen gist, a oedd yn amlwg wedi ei defnyddio fel cwpwrdd ac fel bwrdd. A dyna'r cyfan oedd yn y stafell hyd y gallent weld.

"Rown i'n meddwl fod rhywun wedi agor a chau'r drws . . ." meddai Capten Phillips.

"Y gwynt," meddai Thomson, "doedd y drws ddim ar 'i glicied . . . fel pe bai . . . fel pe bai e wedi gadael y lle am byth."

Roedd lludw llwyd lle roedd tân mawn wedi bod yn llosgi, a thwll yn y to uwch ei ben i'r mwg fynd allan.

"Dyma beth yw hofel, Capten Phillips!" meddai Thomson gan grychu ei drwyn, "rhaid mai rhyw greadur isel, garw iawn yw Siôn Cwilt os mai hwn yw 'i gartre fe."

"*Oedd* 'i gartre fe ddwedwn i, Mr Thomson, waeth mae'n amlwg fod y deryn wedi hedfan—am y tro beth bynnag."

Edrychodd Thomson yn chwerw arno. "Fe fydd rhaid chwilio pob llathen—pob troedfedd o'r hen ros 'ma, Capten Phillips! Cystal i ni ddechrau arni nawr!"

I lawr yng Nghwmtydu yn ddiweddarach y bore Sul hwnnw, roedd nifer o wragedd a phlant, a rhai dynion hefyd, yn dringo'r rhiw i wasanaeth y bore yn yr eglwys. Ond wrth borth y fynwent safai Sami'r Clochydd a golwg ddi-hwyl, gecrus arno.

"Ewch 'nôl!" meddai, pan ddaeth y bobl at borth y

fynwent. "Ewch adre! Does dim cwrdd yn yr eglwys y bore 'ma."

Edrychodd pawb yn syn ar y Clochydd.

"*Dim cwrdd?*" meddai sawl un gyda'i gilydd.

"Dim cwrdd! Dyna ddwedes i," meddai Sami.

"Ond beth sy'n bod?" gofynnodd un hen wraig.

"Mae'r Ficer yn sâl yn ei wely."

"Yn sâl yn ei wely! O druan bach!" meddai'r hen wraig. "Beth sy'n bod arno fe?"

"Beth wn i, ddynes, beth sy'n bod arno fe—ydych chi'n credu mai doctor ydw i? Mae gwres ynddo fe ac mae e'n peswch . . . ewch nawr, mae'n oer i fi aros fan hyn."

"O," meddai'r hen wraig, "mae'n ddrwg gen i glywed am y Ficer. Ond gan 'mod i wedi dringo'r rhiw—rwy'n meddwl yr a' i mewn i'r eglwys i offrymu gweddi . . ."

"Mae'r eglwys ynghlo," meddai Sami, gan roi winc ar ddyn ifanc oedd gyda'r hen wraig.

"Dewch, Mam," meddai hwnnw, "fe ddown i ddydd Sul nesa, pan fydd y Ficer yn well gobeithio." Cydiodd ym mraich yr hen wraig a'i throi tua'r goriwaered.

"Yr eglwys ynghlo!" meddai'r hen wraig yn rwgnachlyd. "O fel mae'r oes wedi newid! Rwy'n cofio amser pan fydde drws yr eglwys ar agor i bob pechadur a phob Cristion fynd mewn i offrymu gweddi pryd y mynnen nhw! Fe fydda i'n cwyno wrth y Ficer pan ddaw e'n well . . ." Ond erbyn hyn roedd hi a'r lleill wedi cychwyn eu ffordd yn ôl tua phentre Cwmtydu.

Ar ôl i'r olaf fynd o'r golwg heibio i'r tro yn y ffordd, aeth y Clochydd bach yn frysiog ar draws y llwybr i'r Ficerdy. Cerddodd i mewn heb hyd yn oed daro cnoc ar y drws.

Gorweddai'r Ficer yn ei wely, ond pan glywodd sŵn traed yn y tŷ cododd ar ei eistedd. Roedd cap nos am ei ben a rhyw fath o grys nos o wlanen lwyd amdano.

"Wel?" meddai pan agorodd Sami'r drws.

"Maen nhw wedi mynd, Ficer."

"Heb ddim ffwdan?"

"Wel roedd yr hen Sara Tomos yn grwgnach 'eisie mynd mewn i offrymu gweddi', medde hi . . ."

Gwingodd y Ficer yn ei wely.

"O . . . A drws yr eglwys ynghlo! Gobeithio cewn ni faddeuant am hyn, Sami! Gobeithio fod y Bod Mowr yn gwbod mai er mwyn helpu *achos da* mae'r eglwys ynghlo heddi!"

Chwarddodd Sami'n hapus.

"Achos da iawn, Ficer! Fe fydde'n bechod mowr iawn pe bydde'r holl gontraband ardderchog 'na'n mynd i ddwylo'r ecseismyn!"

"Doedd 'na ddim byd arall i neud, Sami . . . dim un man arall i storio'r holl gasgenni . . . wedi i Thomson ddod o hyd i'r merlod . . . roedd hi ar ben. Rwy'n deall mai hwn oedd y llwyth mwya 'rioed, Sami?"

"Ie . . . mae'r eglwys yn llawn."

Gwingodd y Ficer eto. "Rwy'n deall mai hwn yw'r llwyth ola hefyd, Sami. Mae Siôn Cwilt wedi dweud . . ."

"Nonsens, Ficer! Fe fydd smyglo yng Nghwmtydu tra bydd brandi yn Ffrainc, gewch chi weld."

"O bydd—rhyw dipyn bach nawr ac yn y man, Sami— debyg iawn. Ond y smyglo mawr 'ma sy wedi bod yn mynd ymla'n 'ma yn ystod y misoedd diwetha . . ."

"Pwy yw e, Ficer?"

Ysgydwodd yr offeiriad ei ben. "Gadewch iddo gadw'r gyfrinach yna iddo'i hunan, Sami."

"Mae gen i syniad 'i fod e'n rhywun gwell na'i gilydd, Ficer," meddai Sami, gan edrych i fyw llygad yr offeiriad.

"Rhywun gwell na'i gilydd, Sami? Beth ŷch chi'n feddwl?"

"Yn ŵr bonheddig falle? Ond na hidiwch am hynny nawr. Y . . . dŷch chi ddim yn edrych yn ddigon sâl . . ."

"Dwy'i ddim *yn* sâl, Sami!"

"Na, ond fe ddylsech chi *edrych* yn sâl—pe bai'r ecseisman 'na'n galw."

"O, gobeithio na ddaw hwnnw ddim ffor' hyn heddi, Sami!" Cydiodd y Ficer yn ei ben â'i ddwy law, fel pe bai mewn poen. Gwenodd Sami arno fel pwca drwg.

"Pryd maen nhw'n mynd i symud y contraband 'te, Ficer?"

"Heno."

"*Heno*? Fydd hi ddim yn beryglus—mor fuan?"

"Na, Sami; mae'r milwyr a'r ddau ecseisman wedi bod ar 'u traed drwy'r nos neithwr, ac fe fyddan nhw wedi blino . . . ac yn cysgu ar 'u trwyne erbyn heno."

"Ond . . . y merlod?"

"Mae'r rhan fwya ohonyn nhw'n ddiogel . . . ac am yr hanner dwsin arall . . . mae'r ecseisman wedi colli ddiddordeb ynddyn nhw erbyn hyn, mae'n debyg!"

Pennod 17

Aeth wythnos heibio. Erbyn hynny roedd y Ficer wedi "gwella" a drws yr eglwys ar agor eto i bwy bynnag oedd am fynd iddi i addoli neu i offrymu gweddi. Roedd y Nadolig wrth y drws a'r milwyr yn Llangrannog yn anesmwytho eisiau cael dychwelyd i Aberteifi. Yr oedd eu Capten a hwythau wedi cael llond bol ar y gwaith o geisio dal smyglwyr Cwmtydu. Yr oedd tafarnwr tew tafarn y 'Llong' wedi cael llond bol ar y milwyr hefyd—ac ar yr ecseisman a'i was yn fwy na hynny. Roedd e wedi cael digon ar ddioddef tymer ddrwg Thomson—ac yn wir *roedd* tymer hwnnw wedi gwaethygu'n arw ers y nos Sadwrn, pan oedd e wedi colli'r merlod, y contraband a'r smyglwyr trwy gyfrwystra Siôn Cwilt a'r rhai oedd yn ei gynorthwyo.

A fry ar y fferm unig uwchlaw Cwmtydu roedd Wil Gaer Ddu—yn byw mewn ofn ddydd a nos. Roedd e wedi clywed gan y gwas fod llwyth mawr o gontraband wedi dod i dir yn Ogof y Lleisiau a bod y milwyr a'r ecseisman wedi methu â dal neb unwaith eto. Nid oedd ef ei hun wedi mentro gadael y fferm ar ôl iddo fod yn Llangrannog yn bradychu Siôn Cwilt. Roedd e'n dal i gofio'r sŵn traed hynny'n mynd i lawr y grisiau yn nhafarn y 'Llong' a llais y tafarnwr yn dweud fod un o feibion Mari 'Fforin' wedi bod o gwmpas y taprwm beth amser ynghynt. Dychmygai fod yr Emil mileinig, a Pierre a Seimon, yn disgwyl amdano ym mhentre Cwmtydu. Ond weithiau wedyn fe ddwedai wrtho'i hunan nad oedd Emil wedi clywed dim o'r hyn oedd wedi pasio rhyngddo ef a'r ecseisman yn y 'Llong'. Bryd hynny byddai'n ysu am gael neidio ar gefn ei geffyl a mynd i lawr i dafarn Glandon i weld Liwsi.

Roedd e wedi cael hanes methiant yr ecseisman a'r milwyr yn weddol llawn gan y gwas—fel yr oedd Thomson wedi dilyn y merlod i'r fynwent ac wedi eu colli yno—i gyd ond rhyw chwech, ac fel yr oedd y contraband wedi dod i dir wrth Ogof y Lleisiau ac yna wedi diflannu'n llwyr. Un noson bu Wil yn meddwl yn hir uwch ben y dirgelwch. Pam y fynwent? Cofiodd mai yn y fynwent yr oedd ef ei hun wedi gweld y merlod o dan eu llwyth o gasgenni bach. *Allan o'r fynwent roedden nhw wedi dod!* Pam *o'r fynwent?* Sut oedd y contraband yn cyrraedd y fynwent? Roedd y lle'n go bell o'r traeth. A oedd yna ryw ffordd ddirgel o Ogof y Lleisiau i fynwent, neu i eglwys, Llandysilio? Yn sydyn fe deimlai'n gynhyrfus iawn. Fe deimlai yn ei esgyrn ei fod wedi clywed fod yr eglwys ynghau y dydd Sul canlynol—am fod y Ficer yn sâl. Yn sâl wir! Roedd yr eglwys ynghau am fod ei thu mewn yn llawn o'r contraband na allai'r smyglwyr ei symud y noson honno am fod gormod o filwyr ac ecseismyn o gwmpas y lle! Fe wyddai yn ei galon ei fod ar drywydd y gwirionedd a'i fod wedi dod o hyd i allwedd y dirgelwch! Roedd y Ficer yn y fusnes felly? Ai fe oedd Siôn Cwilt? Na, roedd y Ficer yn dew ac yn ganol oed, tra roedd y dyn roedd e wedi'i weld yng nghwmni Liwsi ar ben y graig yn y golau-leuad, yn ifanc ac yn lluniaidd. Ond roedd gan yr offeiriad fys yn y cawl—roedd hynny'n amlwg.

Fe fu Wil Gaer Ddu yn troi a throsi yn ei wely bron hyd y bore, yn meddwl am y pethau hyn. A phan dorrodd y wawr roedd e wedi penderfynu fod rhaid iddo fynd i lawr i'r eglwys i geisio profi iddo'i hunan ei fod wedi darganfod cyfrinach y smyglwyr. Os oedd yna ffordd dan-ddaearol yn dod i fyny o Ogof y Lleisiau i'r eglwys—fe ddylai fod yn bosib iddo weld rhyw olion.

Ar ôl gofalu fod y gwartheg wedi eu godro a'r anifeiliaid i gyd wedi eu bwydo, cychwynnodd ei daith ar draws y caeau i gyfeiriad yr eglwys. Roedd hi dridiau cyn y Nadolig a'r dydd ar ei fyrraf. Chwythai gwynt main o'r Gogledd a disgynnai ambell bluen eira o'r awyr dywyll. Cerddai'n gyflym fel pe bai rhyw nerth o'r tu allan iddo ef ei hun yn ei yrru ymlaen. Cyn bo hir daeth i olwg yr hen eglwys. Edrychai'r fynwent a hithau'n fwy llwyd nag arfer y bore gaeafol hwnnw. Daeth at y drws derw, creithiog. Cydiodd yn y glicied a theimlodd ef yn agor dan ei law, gyda gwich uchel. Yr oedd tair cannwyll dew ynghyn ar yr allor—yn arwydd fod dathlu Gŵyl y Geni wedi dechrau'n barod, meddyliodd. Ond nid oedd yr un enaid byw tu mewn i'r eglwys y funud honno serch hynny.

Cerddodd Wil ymlaen i gyfeiriad y gangell. Roedd llawr yr eglwys o lechi gleision mawr a rhai ohonynt wedi cafnu a threulio gymaint o gerdded a fu drostynt ar hyd y blynyddoedd. Craffodd yn fanwl ar bob llechen i geisio gweld a oedd yn wahanol i'r lleill mewn rhyw fodd—yn edrych fel pe bai wedi cael ei symud yn ddiweddar . . . neu rywbeth. Ond er iddo fynd ar ei benliniau ar y llawr ni allai ddarganfod dim.

Yn union o flaen y gangell yr oedd yna ddarn o hen garped treuliedig a bawlyd. Ciciodd Wil hwnnw o'r ffordd a gwelodd—ar unwaith—yr hyn yr oedd yn edrych amdano.

Y llechen las fwyaf yn y llawr i gyd oedd hi. Gwelodd Wil mewn fflach y gwahaniaeth rhyngddi a'r lleill. Nid oedd dim llwch na morter na dim yn llenwi'r craciau rhyngddi a'r llechi eraill, ac roedd ei hymylon hi ychydig yn uwch nag ymylon y rhai o'i chwmpas. Gwthiodd ei fysedd cryfion i'r craciau i geisio codi'r llechen, ond ni allai ei symud. Chwiliodd yn ei bocedi wedyn a thynnu allan hoelen fawr, loyw—hoelen pedoli nad oedd erioed wedi bod yng ngharn ceffyl. Gwthiodd honno yn awr i'r crac a thynnu â'i holl nerth. Symudodd y garreg ddigon iddo allu cael ei fysedd odani. Gwaith hawdd wedyn oedd ei chodi o'i lle.

O dan y llechen fawr roedd twll tywyll . . . a grisiau garw'n arwain i lawr i berfeddion y ddaear. Edrychodd o'i gwmpas yn gynhyrfus. Roedd hi mor dawel â'r bedd yn yr hen eglwys wag. Edrychodd ar y canhwyllau tewion yn llosgi'n dawel ar yr allor. Am foment petrusodd. Er nad oedd Wil yn ddyn crefyddol o gwbwl, yr oedd ganddo, serch hynny, beth parch tuag at yr hyn a welai o'i flaen y funud honno—y Groes, y canhwyllau, y ffenestri lliw a'r allor dan ei llieiniau gwyn. Ond dim ond am foment y petrusodd. Yna camodd dros reilen y gangell a mynd at yr allor. Cydiodd yn un o'r canhwyllau tew a syrthiodd diferyn o wêr poeth ar y lliain gwyn. Gwyliodd y gwêr yn oeri'n smotyn caled, tywyll ar y lliain. Yna trodd a mynd am y twll yn y llawr, â'r gannwyll yn ei law.

Ar ôl mynd i lawr wyth gris fe ddaeth at dwnnel a oedd yn arwain tuag i lawr. Roedd ei do'n ddigon uchel iddo allu cerdded heb blygu rhyw lawer. Yn y llwch ar lawr y twnnel roedd digonedd o olion traed—yn profi fod y lle wedi ei ddefnyddio'n ddiweddar. Oedd, meddyliodd yn gynhyrfus, roedd e wedi dyfalu'n iawn! Dyma dwnnel y smyglwyr—a'u ffordd o gael y contraband i fyny o'r ogof.

Aeth ymlaen eto—tuag i lawr o hyd—a'r twnnel fel pe bai'n mynd yn fwy serth drwy'r amser. Trawodd ei ben yn erbyn y to unwaith neu ddwy. Yna dechreuodd feddwl ei fod, efallai, yn mentro gormod. Onid gwell fyddai troi'n ôl? Fe deimlai'n berffaith siŵr erbyn hyn fod y twnnel yn arwain i lawr i Ogof y Lleisiau—felly pa bwrpas oedd mewn mynd ymhellach a pheryglu ei fywyd? Ond roedd e am *weld* . . .

Arhosodd i wrando. Deuai rhyw sŵn isel o'r dyfnderoedd tywyll tu flaen iddo a meddyliodd mai sŵn y môr ydoedd, yn taro'r creigiau o gwmpas genau'r ogof ymhell islaw. Doedd dim sŵn 'lleisiau' i'w glywed chwaith, meddyliodd. A oedd gwirionedd yn yr hen stori am y lleisiau? Nid oedd ef erioed wedi bod yn yr Ogof. Roedd rhaid cael cwch i fynd ati, ac nid oedd Wil yn hoff o gychod o gwbwl. Ond fe wyddai fod hen bysgotwyr Cwmtydu'n tyngu eu bod nhw wedi eu clywed lawer gwaith. Efallai nad oedd yn ddigon agos at yr Ogof i'w clywed eto, meddyliodd. Ond wrth sefyll yn llonydd fan honno meddyliodd ei fod yn clywed sŵn arall—tu ôl iddo—*sŵn traed*! Clustfeiniodd, ond wedyn roedd pobman yn ddistaw.

Aeth ymlaen a daeth at fan a edrychai fel pen draw'r twnnel, oherwydd yng ngolau'r gannwyll ni allai weld ond wal solet o graig o'i flaen. Ond wedi mynd yn nes fe welodd dwll yn y llawr o dan ei draed. Ni fu ond y dim rhyngddo a rhoi gam i'r gwacter o'i flaen. Yna daeth chwythiad sydyn o wynt i fyny drwy'r twll—a diffodd y gannwyll. Safodd yn stond yn y tywyllwch dudew. Clywodd sŵn traed lladradaidd tu ôl iddo. Roedd e'n siŵr y tro hwn, ac roedden nhw'n dod yn nes. Ceisiodd gilio'n ôl oddi wrth y twll peryglus wrth ei draed. Yna roedd dwylo'n ceisio gafael ynddo yn y tywyllwch. Llithrodd ei droed a theimlodd ei hun yn syrthio . . . ac yn llithro . . . yn araf i ddechrau ond wedyn yn gyflymach, gyflymach. Fe geisiodd grafangu am ochrau'r twll ond roedd rheini'n llithrig ac yn llaith ac ni wnaeth ond torri ei ewinedd yn yfflon wrth gwympo. Aeth sioc o boen trwy ei gorff i gyd pan ddisgynnodd o'r diwedd ar lawr caled ym mhen pellaf Ogof y Lleisiau. Ar unwaith roedd y tywyllwch o'i gwmpas wedi cripian dros ei ymennydd hefyd—roedd e wedi llewygu.

Pan ddaeth ato'i hun fe deimlai boen mawr yn ei ben ac yn ei goes chwith. Roedd y boen mor ffyrnig fel na fentrodd agor ei lygaid am dipyn, dim ond gorwedd yno'n ceisio dyfalu beth oedd wedi digwydd iddo. Yna ara bach daeth cof yn ôl amdano'n cwympo i'r twll tywyll. Agorodd ei lygaid a gwelodd olau o'i gwmpas a dyn yn edrych i lawr arno. Ar waetha'r boen ofnadwy yn ei ben a'i goes, fe adnabu'r dyn ar unwaith. Thomson yr ecseisman! Roedd lantarn yn llaw'r swyddog ac ychydig tu ôl iddo safai ei was, Walter Moses.

"Beth wyt ti'n wneud fan hyn?" gofynnodd Thomson, gan blygu 'mlaen a dal y lantarn yn nes at ei wyneb. Ni allai Wil ei ateb oherwydd ei ddoluriau enbyd.

"Beth sy wedi digwydd i ti?" gofynnodd yr ecseisman eto. "Ai *nhw* sy wedi gneud hyn i ti?"

Agorodd Wil Gaer Ddu ei geg. Roedd e am ddweud wrtho fod rhywun wedi ei wthio trwy dwll yn nho'r ogof, a'i fod e'n gwybod cyfrinach y smyglwyr. Ceisiodd godi ei ben ar waetha'r boen a cheisiodd lunio geiriau. Gwelodd Thomson ei wefusau'n symud ond ni ddaeth yr un gair drostynt—dim ond ochenaid hir. Yna roedd llygaid Wil wedi cau eto a'r tywyllwch wedi disgyn eilwaith dros ei ymennydd.

Pan ddaeth ato'i hunan drachefn roedd hi'n olau dydd o'i gwmpas ac roedd gwynt oer yn chwythu ar ei wyneb. Agorodd ei lygaid a gwyddai ar unwaith ei fod ar draeth Cwmtydu. Gallai glywed nifer o leisiau. Ond roedd e'n teimlo'n sâl iawn ac edrychai pobman o'i gwmpas yn ddieithr—fel pe bai yn eu gweld mewn breuddwyd.

"Ewch ag e lan i'r ficerdy at y Ficer," meddai llais yn agos eto, er na allai weld y siaradwr. "Ie," meddai llais arall, "mae e wedi torri ei goes fanna rhwng ei ben-glin a'i bigwrn—mae'n hawdd gweld. A dim ond y Ficer all roi'r asgwrn yn ôl iddo . . . neu fe fydd rhaid mofyn doctor o'r Cei Newydd. Ond dyn a ŵyr pryd daw hwnnw. Mae'r clwyf 'na ar 'i ben e wedyn . . ."

Nifer o leisiau'n siarad gyda'i gilydd wedyn, nes drysu ei ben yn llwyr.

Y peth cyntaf a welodd pan ddaeth ato'i hunan nesaf oedd tân mawr yn llosgi mewn grât a chrochan du uwch ben y fflamau. Trodd ei ben a gwelodd y Ficer yn pwyso ar ymyl bwrdd. Am foment edrychodd y ddau i lygaid ei gilydd. Erbyn hyn roedd pen Wil wedi clirio tipyn ond roedd e'n dioddef poen ofnadwy yn ei goes chwith o hyd—poen a oedd yn bygwth gwneud iddo lewygu eto.

"Fe godest ti'r garreg yn yr eglwys, Wil," meddai llais y Ficer, gan ddod yn nes ato. Roedd Wil yn gorwedd ar soffa yn ymyl y tân. Plygodd y Ficer drosto nes bod eu dau wyneb yn agos iawn at ei gilydd. Roedd llygaid y Ficer yn llwyd, oer.

"Fe godest ti'r llechen las, Wil!" meddai'r Ficer eto.

"Do," meddai Wil. Roedd ei lais yn floesg a gwan. "Rwy'n gwbod y cwbwl nawr, Ficer."

"Beth wyt ti'n wbod, Wil?"

"Eich bod chi . . ." Aeth saeth o boen trwy ei goes. "Yn un ohonyn nhw . . ."

"Wel, Wel!" meddai'r Ficer, "fe fydd gyda ti stori fawr i'w dweud wrth Thomson nawr 'te, ond bydd e?"

Gwyddai Wil fod y Ficer yn ei wawdio a theimlodd yn ddig.

"Mae'r hanner canpunt cystal â bod yn dy boced di, Wil."

Yn sydyn dechreuodd Wil ofni llais y Ficer. Beth oedd e'n mynd i'w wneud ag e? Fe deimlai mor ddiymadferth yn y fan honno, â'r dyn mawr, tew'n plygu drosto. Pe bai'n penderfynu ei ladd ni allai wneud dim i'w rwystro. Ond wedyn, meddyliodd nad oedd hi'n debyg y byddai Ficer plwy Llandysilio yn gwneud y fath beth—er ei fod yn smyglwr!

"Y . . . y . . . 'y nghoes i, Ficer," meddai, "mae'n boenus iawn . . . fedrwch chi . . ? Fe ddaeth rhywun . . . Emil Glandon?—tu ôl i fi yn y twnnel . . . fe ges i 'nhaflu lawr . . ."

"Wil, rwyt ti'n fradwr!" Doedd y Ficer ddim wedi codi ei lais, ac eto fe wnaeth i galon Wil Gaer Ddu guro'n gyflymach. "Rwyt ti wedi bradychu Siôn Cwilt i Thomson, Wil. Ac oni bai amdana i—a Siôn Cwilt—fe fydde ti'n gorwedd yn farw gelain yn rhywle erbyn hyn—yng ngwaelod y môr mwy na thebyg. Cofia un peth, Wil, os ei di i hawlio'r hanner canpunt 'na rywbryd—fydd dy fywyd di ddim yn werth cneuen. Mae rhai o'r smyglwyr wedi bod am dy waed di er pan fuest ti lawr yn Llangrannog . . ."

Meddyliodd Wil am y llaw oedd wedi ei wthio i'r twll. Doedd perchen honno ddim wedi gwrando ar Siôn Cwilt! Ond roedd yr offeiriad yn siarad eto.

"Rwy'i am dy air di, Wil, cyn y bydda i'n rhoi asgwrn y goes 'na yn ôl yn 'i le—na fyddi di byth yn datgelu dim byd arall i Thomson na'r milwyr na neb . . ."

"Pwy yw Siôn Cwilt?" gofynnodd Wil ar ei draws. "Dwedwch chi hynny wrthw i ac rwy'n addo i chi . . ."

Ysgydwodd y Ficer ei ben.

"Wil, os na chei di drinieth i'r goes 'na ar unwaith fe elli di 'i cholli hi, cofia."

"Fe alla i anfon am ddoctor o'r Cei . . ."

"Pryd daw hwnnw, Wil? Mae eisie trin honna *nawr*. Wyt ti am fod yn gloff am dy oes, fachgen, neu ar ffyn baglau—dyn ifanc fel ti?"

"O'r gore, Ficer, rwy'n rhoi 'ngair i chi."

Yna heb ragor o siarad aeth y Ficer ati i osod asgwrn y goes chwith yn ei le unwaith eto. Wrth wneud hynny fe achosodd boen ofnadwy i Wil, ond trwy drugaredd, ni theimlodd hwnnw'r cwbwl gan ei fod wedi llewygu drachefn.

Pennod 18

Daeth y Nadolig a thywydd garw, stormus iawn i Gwmtydu a Llangrannog. Wrth wylio'r tonnau'n rowlio'n ffyrnig dros draeth Llangrannog, ac yna'n chwalu ac yn taflu cawodydd o ewyn hallt ar ddrysau a ffenestri'r bythynnod ar lan y môr—fe wyddai Bart Thomson yn iawn nad oedd angen iddo ddringo i ben y graig â'i delisgop yn ei law y dyddiau hynny. Gwyddai na fyddai'r lyger ddu, nac un llong arall chwaith, yn mentro'n agos at draeth creigiog Cwmtydu yn y tywydd mawr hwnnw.

Gorweddai Wil Gaer Ddu ar wastad ei gefn yn ddigalon a diamynedd iawn. Roedd ganddo gymaint o wybodaeth! Ond dyma fe'n gaeth i'r tŷ, ac i'r gwely, ag asgwrn ei goes chwith wedi torri! Roedd e mewn penbleth ofnadwy y dyddiau hynny. Roedd am gael gwared ar Siôn Cwilt, ond yr oedd arno ofn anfon am Thomson. Onid oedd rhywun wedi ceisio'i ladd yn barod? Ond beth petai Thomson yn gallu ei amddiffyn yn ddigon hir i gael Siôn Cwilt i'r ddalfa? Yna byddai yn barod iawn i dorri ei addewid i'r Ficer.

Ond arhosai Thomson yn Llangrannog, yn teimlo bron mor ddigalon ag yntau. Roedd y milwyr wedi cael eu galw'n ôl i'w barics yn Aberteifi ddiwrnod cyn y Nadolig, a hynny'n hollol groes i'w ewyllys ef. Beth allai ef a Walter Moses ei wneud â smyglwyr Cwmtydu wrthynt eu hunain? Roedd e wedi sgrifennu drachefn at yr awdurdodau yn Llundain yn gofyn am gael y milwyr yn ôl ac yn gofyn am fwy o gymorth ynadon lleol. Ond nid oedd unrhyw ateb wedi cyrraedd eto. Yn y cyfamser bodlonai ar dreulio'r dyddiau stormus wrth danllwyth o dân yn nhafarn y 'Llong', heb boeni am na smyglwyr na dim. Pe bai wedi cael gwybod sut oedd Wil Gaer Ddu wedi cyrraedd Ogof y Lleisiau—mae'n siŵr y byddai wedi cymryd tipyn mwy o ddiddordeb yn y ffermwr clwyfedig. Ond doedd neb wedi dweud wrtho, ac felly fe fu rhaid i Wil ddisgwyl yn ofer am ymweliad oddi wrth yr ecseisman.

*   *   *

Roedd hi'n nos Nadolig a daliai'r storm i hyrddio'i chynddaredd ar draeth bach, caregog Cwmtydu. Roedd cychod mawr a mân wedi eu tynnu i fyny ymhell o afael y môr a gorweddent ym mhen ucha'r traeth fel crwbanod yn ceisio swatio'n isel rhag y gwynt a'r tonnau. Yn y pentre roedd pob drws a ffenest ynghau rhag oerni'r gwynt, a chwythai o'r gogledd-orllewin, gan hyrddio ambell gawod o gesair dros y tir yn awr ac yn y man.

Yr oedd hi wedi mynd yn hwyr, ac yng nghegin gefn tafarn Glandon eisteddai Mari 'Fforin' wrthi'i hunan wrth dân coed mawr. Roedd y bechgyn wedi mynd ers dwyawr i ryw rialtwch oedd yn cael ei gynnal yn y Felin. Ni wyddai Mari'n iawn beth oedd yn mynd ymlaen yn y Felin. Yr unig beth a wyddai oedd ei bod yn arferiad gan y bechgyn a'r merched ddod at ei gilydd yno ar nos Nadolig, ers pan oedd hi'n cofio bron. Fe wyddai hefyd fod tipyn o yfed yn mynd ymlaen yno oherwydd roedd llond stên fawr o gwrw wedi mynd i fyny o'r dafarn yn gynharach y noson honno.

Roedd Liwsi wedi cael annwyd trwm ac wedi mynd i'w gwely'n gynnar ar ôl cael tipyn o frandi a mêl a dŵr poeth i'w yfed gan ei mam.

Roedd Mari'n disgwyl. Bob yn awr ac yn y man codai ei phen i glustfeinio am unrhyw sŵn tu allan, ac ni fyddai'n mynd yn ôl ar ei air. Cofiodd Mari am y noson arall honno pan ddaeth cnoc ar y drws. Roedd Liwsi ac Emil yn y gegin gyda hi'r pryd hwnnw, ac roedd hi wedi gorfod eu gyrru i'r llofft. Roedd llawer o bethau wedi digwydd er y noson honno, meddyliodd.

Yna neidiodd ar ei thraed. Roedd hi wedi clywed cnoc ysgafn ar ddrws y cefn. Aeth ar draws y gegin at y drws. Tynnodd y pâr a'i agor. Daeth dyn ifanc mewn cot drwsiadus i mewn. Roedd coler y got wedi ei godi am ei glustiau ac roedd ganddo sgarff am ei ben—ac am ei het, yn wir, rhag iddi gael ei chipio ymaith gan y gwynt. O dan ei gesail cariai barsel wedi ei lapio mewn hen sach ddigon bawlyd.

Caeodd Mari'r drws yn dynn a bwrw'r pâr i'w le'n ddiogel unwaith eto.

"Dere i dwymo . . ." meddai, gan fynd yn ôl at y tân. Tynnodd y dieithryn ei sgarff a throi coler ei got i lawr. Gadawodd i'r bwndel dan ei fraich gwympo wrth wneud hyn. Plygodd Mari i'w godi.

"Na, Mari, gadewch iddo," meddai'r ymwelydd hwyr.

"Beth yw e?" gofynnodd Mari. Cydiodd y dieithryn yn yr hen sach ac o'i genau tynnodd hen ddilledyn bawlyd, carpiog. Rhyw fath o fantell neu glogyn ydoedd—wedi ei wneud o ddarnau o frethyn o wahanol liwiau—fel cwilt. Am foment bu'r ddau'n edrych i lygaid ei gilydd.

"Mae Siôn Cwilt yn gorffen heno, Mari—yn y man lle dechreuodd e—ar lawr y gegin 'ma. Fydd dim angen hwn arno fe byth mwy . . . rwy'n awgrymu eich bod chi'n i roi e ar y tân."

Cydiodd Mari ynddo heb ddweud yr un gair a'i daflu i'r fflamau fel pe bai'n falch o gael gwared ohono. Am foment tywyllodd yr hen glogyn y tân a dringodd colofn o fwg tew i fyny'r simnai. Yna fflamiodd y brethyn, a'r funud nesaf roedd e'n llosgi'n ulw. Gwyliodd y ddau'r fflamau'n difa'r clytiau o un i un gan adael dim ond pentwr o ludw llwyd.

"Dyna ddiwedd Siôn Cwilt, Mari," meddai'r dieithryn. "Mae arno fe ddyled fawr iawn i chi am gadw'i gyfrinach e mor ddiogel. Ac rwy'n gwbod y bydd 'i gyfrinach e'n ddiogel am byth gyda chi ..."

"Bydd, yn ddiogel am byth gen i," atebodd y Llydawes, "oes 'na rywun arall yn gwbod, Harri ..?" Rhoddodd Mari 'Fforin' ei llaw ar ei cheg, fel pe bai wedi dweud yr enw heb yn wybod iddi. Gwenodd y dieithryn.

"Mae popeth yn iawn, Mari, mae Siôn Cwilt wedi mynd, a Harri Parri'r Glasgoed wedi cymryd 'i le fe unwaith 'to. Fory fe fydda i'n mynd yn ôl adre ..."

"Oes rhywun arall yn gwybod pwy oedd Siôn Cwilt?" gofynnodd Mari wedyn.

"Dim ond un dyn arall ar wahân i'ch teulu chi."

"Pwy?"

Am foment petrusodd y gŵr bonheddig ifanc. "Y Ficer," meddai wedyn.

Lledodd gwên fawr dros wyneb tywyll y Llydawes ond ni ddywedodd air.

"Ble mae Liwsi?" gofynnodd Harri'n sydyn.

"Mae annwyd trwm arni. Fe'i gyrres i hi i'r gwely'n gynnar gyda thipyn o frandi poeth a mêl."

"Dyw hi ddim yn sâl iawn ydy hi?"

'Twt! Na—dim ond tipyn o annwyd ... a does dim rhyfedd ... a'r hen dywydd 'ma! Wel, Harri, wnest ti dy ffortiwn wrth smyglo, dwed? Wnest ti ddigon i achub y Glasgoed o ddwylo'r Iddew?"

Roedd llygaid duon y Llydawes yn gwylio'i wyneb yn fanwl. Yng ngolau'r tân sylwodd fod golwg ddifrifol wedi dod drosto. Eisteddodd Harri Parri ar y fainc gyferbyn â hi cyn ateb.

"Wel?" meddai Mari'n siarp.

Ysgydwodd y bonheddwr ifanc ei ben. "Pe baen ni wedi

cael tri mis arall . . ." meddai . . . "Ond roedd hi wedi mynd yn rhy anodd nawr . . ."

"Felly mae'r cyfan wedi bod yn ofer?"

"Na, na, Mari, peidiwch â dweud hynna! Fe wnaethon ni'n dda . . . wyddwn i ddim fod smyglo mor broffidiol . . . Pe bydden ni wedi cael llonydd am dri mis arall . . ."

"Felly dwyt ti ddim wedi achub y Glasgoed!"

"Fe ddaw'r gweddill o rywle . . ."

"O ble, dwed?"

Ysgydwodd Harri Parri ei ben cyrliog braidd yn ddiamynedd. Roedd Mari'n gwneud iddo deimlo'n anesmwyth iawn â'i chwestiynau na allai ef eu hateb.

"Fe ddaw rhyw oleuni o rywle," meddai, braidd yn gloff. "Rŷch chi i gyd wedi bod mor dda . . . mae arna i ddyled fawr i chi, Mari, a chyn bo hir fe fydda i'n gofyn cymwynas arall . . ."

"Beth wyt ti'n feddwl?" gofynnodd y Llydawes.

"Liwsi . . ."

Er syndod i Harri Parri gwelodd wefus isa'r Llydawes yn crynu a dau ddeigryn mawr yn loyw yn ei llygaid duon.

"Mari!"

Rhedodd y ddau ddeigryn i lawr dros ruddiau gwraig y dafarn a sychodd hwy'n ffyrnig â chefn ei llaw.

"Mae'n ddrwg gen i, Harri Parri," meddai, â'i llais yn fflat.

Edrychodd Etifedd y Glasgoed arni'n syn. A oedd hi am wrthod?

"Ba!" meddai Mari, "rŷch chi i gyd eisie priodi Lucille! Beth sy'n bod arnoch chi?"

"I gyd? Pwy arall, 'te, Mari?"

"Wil Gaer Ddu, Y Capten—Capten Phillips, synnwn i ddim, tithe, a dyn a ŵyr faint yn rhagor."

"Ond rwy'n 'i charu hi, Mari, ac rwy'i am iddi fod yn feistres y Glasgoed . . ."

"Dwyt ti ddim yn berchen y Glasgoed, Harri Parri! Nawr, gwranda di arna i. Pan oedd hi'n galed arna i . . . 'y ngŵr wedi marw a'r plant 'ma'n fach . . . fe fuodd dy dad yn garedig iawn . . . nawr mae hi'n galed arno fe . . . a . . . wel . . . dwyt ti ddim wedi bod yn fab da iawn iddo fe wyt ti? Mae'n bryd i ti feddwl am ryw ffordd heblaw *smyglo* i achub y Glasgoed—er mwyn hen ŵr dy dad . . . ac er mwyn pawb sy'n byw yng Nghwmtydu. Mae pawb sy'n byw ffor' hyn yn disgwl i ti achub y stâd o ddwylo Coleby . . . oherwydd os na wnei di—fe fydd ar ben arnon ni."

"Nonsens, Mari!"

"Rwy'n dweud y gwir! Mae Watcyn Parri, ar hyd y blynyddoedd wedi helpu'r tlawd, y cleifion a'r rhai oedd mewn rhyw drwbwl. Maen nhw wedi bod yn dringo'r rhiw i'r Glasgoed fel y bydden ni'n arfer mynd i'r eglwys i weddïo ar y Santes Anne slawer dydd. Rwyt ti wedi gneud ymdrech i godi'r arian i dalu'r ddyled i Coleby— trwy'r smyglo mowr 'ma. Mae'n rhaid i fi ddweud nad oedd gen i ddim ffydd yn y fenter o'r dechre. Fe fydde'n llawer callach—a llai peryglus—pe byddet ti wedi gneud fel roedd dy dad yn dymuno . . ."

"Beth . . ?"

"Pe byddet ti wedi gneud dy ddyletswydd—fel Etifedd—unig fab y Glasgoed—a phriodi Lowri Rhydclomennod."

Edrychodd Harri'n syn ar y Llydawes. O, un ryfedd oedd hi, meddyliodd. Fyddai neb arall yng Nghwmtydu yn meddwl am ddweud 'ti' ar Etifedd y Glasgoed, heb sôn am ddweud wrtho'n blwmp ac yn blaen ei fod wedi bod yn 'fachgen drwg'!

"Mari," meddai, "mae 'na un peth pwysig rŷch chi'n 'i anghofio—dwy'i ddim yn *caru* Lowri Rhydclomennod."

"Ba! *Caru! Caru!* Siarad gwag pobol ifanc. Rhaid i ti *ddysgu* 'i charu hi 'te—er mwyn dy dad a phobol

Cwmtydu. Wyt ti ddim yn gweld? Dyna dy ddyletswydd di!"

Unwaith eto roedd y llygaid duon yn loyw gan ddagrau a'r wefus yn crynu.

"Ydych chi'n gwrthod caniatâd i fi briodi Liwsi?"

"Wyt ti wedi gofyn iddi hi?" gofynnodd Mari.

"Ddim eto . . . ond . . ."

"Rhaid i ti beidio . . . am ddau reswm."

"Pa ddau reswm?"

"Rwyt ti'n gwbod y cynta—dy ddyletswydd fel unig fab y Glasgoed i briodi rhywun a all ddod â digon o 'ddowri' gyda hi i achub y stâd . . . fel y gall hen ŵr dy dad farw'n hapus. Y llall? Wel, am 'y mod i am weld Lucille yn hapus . . ."

"Liwsi'n hapus? Rwy'n siŵr y bydde hi'n hapus . . ."

Cododd Mari ei llaw i roi taw arno. "Rwyt ti'n meddwl hynny nawr. Ond pan fydd y Glasgoed wedi mynd, a thithe . . . beth ddaw ohonot ti wedyn? Oes 'na ryw ffordd y gelli di ennill bywioliaeth? Ar beth y byddwch chi byw? Ar y gwynt? Ac rwy'n ofni mai pryd hynny y byddi di'n teimlo'n edifar . . . fe briododd Mam â rhywun gwell na'i gilydd—rhywun â gwaed hen dywysogion Ffrainc yn 'i wythienne fe—*medde fe*. Morwyn y Plas oedd Mam. Fe briodon nhw am 'u bod nhw mewn *cariad* . . . fuon nhw'n hapus? Naddo, wrth gwrs. A fyddech chithe ddim yn hapus chwaith ac mae gen i ormod o olwg ar Lucille i adael iddi dy briodi di â'i llyged ynghau. A nawr, gwell i ti fynd cyn y daw'r bechgyn yn 'u hôl." Cododd ar ei thraed a mynd am y drws.

Cododd Harri Parri hefyd.

"Ond Mari . . ." meddai.

"Gwell i ti fynd nawr," meddai Mari ar ei draws. "Fe fydda i'n dychwelyd i Lydaw pan ddaw'r gwanwyn; ac fe fydd Lucille yn dod gyda fi. Emil hefyd . . . fe gaiff y ddau arall neud fel y mynnon nhw. Gobeithio, Harri Parri, na fyddi di ddim yn gneud dim byd i rwystro 'nghynllunie i . . ." Roedd y llygaid duon wedi eu hoelio ar ei wyneb, a theimlodd Harri fod bygythiad yn ei llais.

Tynnodd Mari'r pâr ac agorodd y drws.

"Ei di ddim adre i'r Glasgoed heno . . ." gofynnodd.

Ysgydwodd Harri ei ben. "Na, fe gysga i yn y Ficerdy heno . . . ac fe a' i adre yn y bore."

"Nos da i ti," meddai Mari. Aeth y 'Tifedd allan i'r storm.

* * *

Trannoeth marchogodd Etifedd y Glasgoed i fyny'r rhiw ac ar hyd y lôn a arweiniai i'r Plas. Roedd hi'n fore anghysurus o wyntog ac oer ac edrychai'r wlad o'i gwmpas yn llwyd a difywyd iawn.

Yna roedd e'n disgyn oddi ar ei geffyl o flaen y drws mawr. Dringodd y grisiau at y drws a churo. Ni ddaeth neb ar unwaith i agor iddo. Edrychodd o'i gwmpas, ond nid oedd sôn am na gwas na morwyn yn unman. Yna agorodd y drws a gwelodd Deina yn sefyll o'i flaen. Edrychodd arno braidd yn wgus.

"O, rwyt ti wedi gweld yn dda i ddod adre o'r diwedd, wyt ti?" meddai. Er fod ei llais yn ddi-groeso, roedd rhywbeth yn ei llygaid yn dweud wrth Harri ei bod hi'n falch.

Yna roedd hi wedi cydio yn ei ddwy law oer. "O, mae bai arnat ti, Harri—yn gwastraffu dy amser tua Lunden fforna a hen ŵr dy dad yn ddisgwl di adre!" Roedd deigryn gloyw yn ei llygaid.

"Dwy'i ddim wedi gwastraffu'n amser yn hollol, Deina," meddai Harri. Agorodd yr hen wraig ei llygaid led y pen. "Wyt ti wedi llwyddo i godi'r arian?"

Ysgydwodd y 'Tifedd ei ben. "Ddim ond tua hanner yr hyn sydd eisie cyn y gallwn ni achub y Glasgoed o ddwylo Coleby. A sut mae Nhad, Deina?"

"Gwanllyd iawn yw e, Harri. Dyw e'n bwyta fawr iawn—dim mwy na deryn, wir i ti . . . ac wrth gwrs . . . mae e wedi torri'i galon. A beth allwch chi neud â rhywun sy wedi torri'i galon?" Unwaith eto roedd y dagrau'n loyw yn ei llygaid.

"Fe wnawn ni rywbeth, Deina."

Ysgydwodd yr hen wraig ei phen. "Na—dim os na elli di, neu rywun, achub y Glasgoed. O, Harri, arnat ti mae'r bai, cofia?"

"Arna i?"

"Ie, pe byddet ti wedi gwrando . . ."

"Ac wedi priodi Lowri Rhydclomennod! Ai dyna oeddech chi'n mynd i' ddweud?"

"Wel, beth oedd o le arni?"

"Dim, ond eich bod chi i gyd yn ceisio'i gwthio hi arna i!"

"Roedd 'na rywun arall hefyd ond oedd e, Harri?" Erbyn hyn roedden nhw i mewn yn y Plas ac wedi cau'r drws.

"Oedd . . . unwaith . . ." Edrychodd y ddau ar ei gilydd am foment hir heb ddweud gair.

"Tyrd," meddai Deina wedyn, "fe fydd e'n falch dy weld di. Fe ofalwn ni am y ceffyl—cyn y bydd e wedi rhewi mas fanna."

Eisteddai Sgweier y Glasgoed yn grwm mewn cadair wrth dân mawr yn llyfrgell y Plas. Ni throdd ei ben pan ddaeth Harri a Deina i mewn drwy'r drws. Safodd y 'Tifedd am foment i edrych ar y pen gwyn a'r corff bach wedi crebachu yn y gadair. Roedd siôl lwyd, drwchus dros ysgwyddau'r hen ŵr a gorffwysai ei ddwy law wen, fonheddig yn llonydd ar freichiau'r gadair.

Yna, rhaid ei fod wedi synhwyro fod rhywun yno, oherwydd trodd ei ben yn sydyn a gweld ei fab.

"Harri!" Taflodd y siôl oddi ar ei ysgwyddau a cheisio codi ar ei draed. Ond roedd Harri yn ei ymyl erbyn hyn, a Deina hefyd.

"Na, peidiwch codi, Nhad," meddai Harri, "fe eisteddai i fan hyn yn eich ymyl chi."

"Ond . . . Wel! Rwyt ti wedi dod 'nôl! Gest ti siwrne dda? Mae'r tywydd yn ofnadwy! Sut yn y byd . . ?"

"Fe ges i siwrne iawn, Nhad, peidiwch â gofidio." Daeth Deina i godi'r siôl yn ôl am ysgwyddau'r hen ŵr.

"Wel! Wel! Rwyt ti wedi dod! Wyt wir!" Tu ôl i'w gadair roedd Deina'n crio'n ddistaw wrth weld llawenydd yr hen Sgweier.

"A pha newyddion, Harri?" gofynnodd Watcyn Parri, gan edrych yn bryderus i lygaid ei fab.

"Rwy'i wedi llwyddo . . ."

"I godi'r arian, Harri?" Am foment roedd wyneb Watcyn Parri'n obaith i gyd.

"Wel, 'u hanner nhw fwy neu lai, Nhad, tua'u hanner nhw."

Syrthiodd distawrwydd ar y stafell.

"O?" meddai Watcyn Parri ymhen tipyn, a meddyliodd Harri mai dyna'r sŵn mwyaf trist a glywsai erioed.

"Ond, Nhad, mae gyda ni chwe mis ar ôl i godi'r gweddill!" Y funud honno roedd e'n meddwl faint o berygl a thrafferth roedd ef a llawer o fechgyn Cwmtydu wedi gorfod ei wynebu cyn casglu cymaint â hynny!

"Mi af i baratoi bwyd i ti, Harri," meddai Deina, gan gerdded allan a gadael y tad a'r mab gyda'i gilydd.

Ar ôl i'r drws gau edrychodd Watcyn Parri ar ei fab gan ysgwyd ei ben.

"Wnaiff 'u hanner nhw ddim mo'r tro, fachgen, gwaetha'r

modd. Rwyt ti wedi gneud dy ore—fe wn i hynny . . . ond y cyfan neu ddim fydd hi gyda Coleby."

"Fe achubwn ni'r Glasgoed, Nhad, gewch chi weld," meddai Harri, gan blygu mlaen a chyffwrdd â llaw ddelicet yr hen ŵr bonheddig. "Dwy'i ddim wedi rhoi fyny eto. Fe wna i rywbeth, gewch chi weld."

Yna sylwodd fod yr hen ŵr yn crio'n ddistaw.

"Nhad! Rhaid i ni beidio rhoi fyny gobaith!"

Sychodd Watcyn Parri ei ddagrau â chefn ei law, fel pe bai cywilydd arno eu harddel.

"Beth arall fedri di neud, Harri, 'machgen i? Rwyt ti wedi gneud dy ore."

"Fe alla i briodi merch gyfoethog, Nhad."

Cododd yr hen ŵr ei ben ac edrychodd yn syn ar ei fab.

"Harri! Ond . . ."

"Dyw Lowri Rhydclomennod ddim wedi priodi â neb arall hyd yn hyn, cyn belled ag y gwn i, Nhad."

"Y . . . nady . . . na dyw hi ddim! Wel . . ?" Roedd gwên fawr wedi lledu dros wyneb Sgweier y Glasgoed, ac fe geisio Harri gofio pryd roedd e wedi gweld hynny o'r blaen. Dim er pan ddaeth y bachgen hwnnw â'r newyddion drwg o'r Cei, meddyliodd.

Pennod 19

Roedd hi'n nos cyn Calan a'r gwynt stormus a fu'n curo traethau Llangrannog a Chwmtydu dros y Nadolig, yn awr wedi gostegu, a thywydd rhew caled, tawel wedi cymryd ei le. Gorweddai haenen wen o eira ar y tir uchel ond roedd y ffyrdd yn glir.

Ym mhlas Rhydclomennod roedd golau ym mhob ffenestr bron, oherwydd, y noson honno roedd llawer o wŷr a gwragedd bonheddig yr ardal wedi dod ynghyd i swpera a mwynhau eu hunain a dawns a chân. Roedd yr hwyl i barhau nes oedd hi'n hanner nos—pan fyddai'r cwmni'n croesawu'r flwyddyn newydd ac yn dymuno'n dda i'w gilydd cyn troi tua thre.

Yr oedd y parti yma ym mhlas Rhydclomennod yn cael ei gynnal bob nos-cyn-Calan, ac roedd Harri Parri'r Glasgoed wedi bod ynddo droeon o'r blaen.

Pan gyrhaeddodd Rhydclomennod y noson honno, a phan gyhoeddwyd ei enw gan un o weision y Cyrnol Price, fe drodd sawl un eu pennau i edrych ar y gŵr ifanc. Gwisgai got o liw porffor tywyll, a sgleiniai ei wallt du o dan oleuni'r candelabra mawr yn neuadd y Plas. Daeth y Cyrnol ato, yn herciog a chan bwyso'n drwm ar ei ffon.

"A! Harri Parri! Croeso! Ddoist ti ddim â dy dad gyda ti?"

"Na, rwy'n ofni 'i fod e wedi mynd yn rhy hen i fentro allan ar y fath dywydd, Cyrnol."

"Nonsens! Dyw e ddim dwy flynedd yn hŷn na fi. Mae'n ddrwg gen i glywed na chawn ni ddim mo'i gwmni fe yma heno. Sut mae e?"

Roedd llygaid llwyd y Cyrnol yn gwylio'i wyneb.

"Wel . . . yn dda iawn . . . ond . . . fe fu colli'r 'Betsi'n' siom fawr iddo fe . . . A sut mae Lowri, Cyrnol? Dwy'i ddim yn 'i gweld hi . . ." Edrychodd Harri Parri o gwmpas y neuadd fawr wrth ddweud hyn.

"O, mae hi yma yn rhywle. Ar y llofft debyg iawn yn ymbincio. Mae'r merched yn hoff o edrych 'u gore ar nosweithie fel hyn, pan fydd 'na nifer o fechgyn ifenc o gwmpas. Wel, cofia fi at Watcyn Parri. Fe fydda i'n galw i' weld e un o'r dyddie 'ma.'

Yna roedd y Cyrnol wedi troi i siarad â rhywun arall. Yna gwelodd Harri Lowri Price yn dod i lawr dros y grisiau o'r llofft mewn ffrog wen, laes. Roedd ei gwallt coch wedi ei osod yn gyrls bach trefnus ar ei gwar ac yn uchel ar gopa'i phen. Roedd hi bron cyrraedd gwaelod y grisiau pan ddisgynnodd ei llygad ar Harri—yn sefyll ar ganol y neuadd fawr. Am foment safodd hithau yn ei hunfan—yna disgynnodd yn urddasol i waelod y grisiau. Aeth Harri ymlaen i'w chyfarch ond cyn iddo ei cyrraedd roedd hi wedi troi i siarad â rhyw ddau ŵr ifanc arall. Safodd Harri am dipyn yn ymyl y cwmni, ond drwy'r amser cadwai Lowri ei chefn tuag ato. Roedd hi'n amlwg yn ei anwybyddu.

Ar swper roedd Harri wedi ei osod i eistedd yn rhy bell oddi wrthi i allu torri gair â hi. Ond pan ddechreuodd y miwsig a'r dawnsio fe aeth ati.

"Ddawnsiwch chi gyda fi, Lowri?" gofynnodd, gan fowio iddi. Am foment edrychodd llygaid, llwyd-fel-ei-thad, yr eneth ar wyneb golygus Etifedd y Glasgoed. Ac yn y foment honno fe wyddai Harri fod Lowri Rhydclomennod yn ei garu o hyd. Pam, felly, roedd hi wedi ceisio ei osgoi?"

"O'r gore, Harri," meddai Lowri. "Rŷch chi wedi gadael Llunden am dipyn ŷch chi? Adre dros y Nadolig iefe?"

"Na, Lowri, fydda i ddim yn mynd 'nôl mwy."

"Wel, wel! Rwy'n synnu clywed. Mynd i setlo lawr,

Harri?" Symudodd y ddau gyda'i gilydd i ganol i llawr a dechrau dawnsio.

"Mae'n hen bryd, dŷch chi ddim yn meddwl, Lowri? A nawr, gan 'mod i wedi penderfynu setlo lawr, fe fydd eisie gwraig arna i."

Gwelodd hi'n gwrido hyd fôn ei gwallt. Tynnodd hi allan o gylch y ddawns i gornel dawel o'r neuadd.

"Briodwch chi fi, Lowri?" gofynnodd. Yna gwelodd ei llygaid yn edrych arno, ac er syndod iddo, roedden nhw'n llawn dicter.

"Rhag eich c'wilydd chi, Harri! Rhag eich c'wilydd chi!" Roedd sŵn dagrau yn ei llais. Edrychodd Harri'n syn arni.

"Ond, Lowri . . . !"

"Peidiwch!" meddai'r eneth yn uchel. Yna mewn llais mwy tawel, dywedodd, "Ydych chi'n meddwl nad ydw i ddim yn gwbod pam rŷch chi wedi gofyn i fi heno? O ydw—yn gwbod yn iawn! Ydych chi'n meddwl nad ydw i ddim wedi clywed sut mae hi arnoch chi a'ch tad y dyddie hyn? Mae pawb yn gwbod, Harri. Fe wn i hefyd pam yr aethoch chi i Lunden yn y lle cynta . . . am fod eich tad am i chi 'mhriodi i a setlo lawr! Flwyddyn yn ôl fe fyddwn i wedi bod yn falch o gael dod yn feistres y Glasgoed ac yn wraig i chi, Harri. Pe byddech chi wedi gofyn i fi bryd hynny—fi fydde'r ferch fwya hapus yn sir Aberteifi. Fe redoch chi bant oddi wrthw i, Harri. Ydych chi'n meddwl y galla i anghofio hynny? O na, fydd 'y ngwaddol i ddim yn talu'ch dyledion chi a'ch tad, coeliwch chi fi!"

Roedd y llygaid llwyd yn fflachio nawr ac roedd gwrid coch, dig ar ei gruddiau. Y teimlad cyntaf a ddaeth i Harri oedd teimlad o ryddhad. Roedd hi wedi ei wrthod! Roedd e wedi gwneud yr hyn yr oedd pawb wedi disgwyl iddo ei wneud—sef gofyn i Lowri Rhydclomennod ei briodi. Roedd e wedi gwneud ei ddyletswydd ac nid arno ef roedd y bai fod y ferch wedi dweud 'Na'.

"Mae'n ddrwg gen i, Lowri," meddai, "mae gen i olwg fawr arnoch chi, cofiwch, a pharch . . ."

"Ewch, Harri," meddai Lowri mewn llais isel, "ewch nawr, os gwelwch chi'n dda."

Bowiodd Harri iddi a mynd yn syth allan o'r neuadd ac i'r stablau i mofyn ei geffyl. Wrth ddringo'r rhiw tuag at y Glasgoed gwelai eto wyneb Lowri o flaen ei lygaid, a'r dicter yn y llygaid llwyd. Ond gwelai wyneb arall hefyd—mewn ffrâm o wallt du, tonnog—yng ngolau'r lleuad ar ben y graig uwchlaw'r môr yng Nghwmtydu . . . wyneb annwyl merch y dafarn.

Meddyliodd wedyn am ei dad, a Mari 'Fforin' a'r Glasgoed. Beth oedd i'w wneud yn awr? Dim ond ail-gychwyn smyglo—pan ddeuai'r tywydd yn well. Ond erbyn hynny efallai y byddai Mari 'Fforin' a Liwsi wedi hwylio i Lydaw.

* * *

Fe fu mis Ionawr 1789 yn oer iawn ar ei hyd. Lawer gwaith yn ystod y mis fe ddringodd Bart Thomson i ben y graig i edrych a welai ryw sôn am y lyger yn nesáu at y lan. Ond nid oedd sôn amdani. Yna daeth gorchymyn oddi wrth yr awdurdodau iddo symud dros dro i Aberystwyth am fod rhyw dorri cyfraith yn mynd ymlaen yn y porthladd yno. Roedd e'n falch o'r cyfle i symud i dref lle roedd tipyn o fywyd, ar ôl bod cyhyd ym mhentre bach Llangrannog lle nad oedd dim i'w ddiddori.

Gorweddai Wil Gaer Ddu yn ei wely y rhan fwyaf o'r amser o hyd. Er fod ei goes yn dechrau mendio erbyn hyn, roedd e'n ddigon call i sylweddoli na fyddai'r asgwrn byth yn asio'n iawn pe bai'n mentro cerdded o gwmpas.

Ond os bu'r gaeaf yn galed y flwyddyn honno, fe ddaeth y gwanwyn yn gynnar. Cyn bo hir roedd hi'n Fis

Bach a'r adar yn dechrau canu a'r daffodil a'r lili wen fach yn gwthio'u pennau drwy'r pridd yng ngerddi cysgodol Cwmtydu.

Un diwrnod, yn wythnos olaf Chwefror, eisteddai Harri a'i dad wrth ginio yn y Plas. Daeth Nel, y forwyn, i mewn i weini arnynt. Un o Gwmtydu oedd Nel a byddai'n mynd adre bob nos ar ôl gorffen ei gwaith yn y Plas—i gysgu yn nhŷ ei rhieni.

"Wel, Neli?" gofynnodd yr hen ŵr. (Roedd gwell hwyl arno'r dyddiau hynny ar ôl i Harri ddod adre)—"Beth yw'r newyddion o'r pentre. Does 'na ddim byd cyffrous y dyddiau hyn oes e?"

"Wel," meddai Nel, "fe glywes i neithiwr fod Mari 'Fforin' a . . ."

Stopiodd yr eneth fel pe bai wedi sylweddoli rhywbeth.

Trodd Harri ei ben yn sydyn i edrych arni.

"Wel?"

". . . fod Mari Glandon a Emil a Liwsi'n mynd i fyw i Ffrainc. Fe ddaeth llong i Gwmtydu neithiwr—slŵp o Roscoff . . . a roedd Nhad yn dweud fod Mari a Liwsi a Emil yn mynd gyda'r llong heddi . . . a roedd e'n dweud na fyddan nhw ddim yn dod 'nôl ragor."

Disgynnodd cyllell a fforc Harri'n swnllyd ar ei blat. Fe deimlai'n gynhyrfus iawn. Yna torrodd llais yr hen ŵr ar draws y distawrwydd.

"O? Wel, wel! Fe fydd hi'n od yng Nghwmtydu heb Mari a'r bechgyn drwg 'na sy gyda hi!" Yna roedd ei lygaid yn edrych ar ei fab o dan ei aeliau gwyn, trwchus. Ochneidiodd. "Wel, mae'n debyg 'u bod nhw'n gwneud yn ddoeth. Does na ddim iddyn nhw yng Nghwmtydu . . ."

Torrodd sŵn cadair Harri'n cael ei gwthio'n ôl yn gyflym—ar draws beth bynnag roedd yr hen ŵr yn mynd i'w ddweud. Yna roedd Harri'n sefyll ar ei draed ac yn taflu'r napcyn gwyn ar y bwrdd. Edrychodd yr hen Sgweier yn daer arno.

"Harri!" Ond roedd y 'Tifedd yn mynd am y drws.

"Harri! Na!" gwaeddodd yr hen ŵr wedyn gan droi yn ei gadair. Ond roedd y drws wedi agor a chau a'r 'Tifedd wedi mynd.

Rhedodd Harri i gyfeiriad y stablau nerth ei draed. Wrth fynd roedd e'n ceisio cofio amserau llanw a thrai. Ond roedd ei feddyliau yn rhy ddryslyd. Un peth yn unig a wyddai—roedd rhaid iddo gyrraedd Cwmtydu cyn i'r llong ymadael â Liwsi ar ei bwrdd. O, roedd e wedi cadw draw o Gwmtydu yn rhy hir—i blesio'i dad! Roedd e hyd yn oed wedi ei gynnig ei hunan yn ŵr i Lowri Rhydclomennod—er mwyn achub stâd y Glasgoed—ond y funud y daeth y newydd fod Liwsi ar fin hwylio am Ffrainc, roedd hi fel pe bai rhyw linyn y tu mewn iddo wedi torri! Rhaid iddo gyrraedd Cwmtydu mewn pryd i'w rhwystro rhag mynd! Cwmtydu heb Liwsi—merch lygatddu'r dafarn! Taflodd gyfrwy'n frysiog ar gefn Robin, ceffyl gorau'r Plas. Yna roedd e'n carlamu i lawr y lôn. Yn ôl yn y Plas roedd yr hen ŵr wedi symud oddi wrth y bwrdd i eistedd wrth y tân. Clywodd sŵn y carnau'n pellhau ac yna'n distewi. Tynnodd law ddelicet ar draws ei wyneb ac ysgydwodd ei ben. Edrychai'n unig ac yn drist iawn yn y fan honno.

Roedd hi'n cyrraedd penllanw pan ddaeth Etifedd y Glasgoed i draeth Cwmtydu. Gwelodd y llong ar unwaith. Roedd hi'n rhoncio yn y swel ychydig lathenni o'r lan. Gadawodd i'w geffyl redeg hyd at fin y dŵr, yna'i ffrwyno'n ffyrnig a disgyn i'r llawr. Edrychodd o'i gwmpas. Roedd Liwsi a Mari 'Fforin' ar fin camu i mewn i gwch i'w cludo drosodd i'r slŵp. Gwelodd y siôl wen gyfarwydd dros ysgwyddau lluniaidd Liwsi.

"Liwsi! Na!" gwaeddodd, gan ddechrau rhedeg tuag ati. Yna gwelodd Mari 'Fforin' yn gwneud arwydd â'i llaw. Yr eiliad nesaf roedd Harri Parri'n mesur ei hyd ar y traeth. Fe geisiodd godi ar unwaith ond daliai dwylo cryfion ef ar lawr. Trodd ei ben a gweld Pierre a Seimon yn edrych arno. Eu dwylo nhw oedd yn ei ddal.

"Gadewch fi'n rhydd!" meddai'n ffyrnig, gan geisio gwingo o'u gafael. Chwarddodd Pierre yn uchel, gan roi ei draed ar frest y bonheddwr ifanc. Trodd Harri ei ben i gyfeiriad y môr. Gwelodd fod Liwsi a Mari 'Fforin' wedi camu i'r cwch ac Emil yn eu hymyl ar fin gwneud yr un peth.

"Liwsi!" gwaeddodd Harri. Disgynnodd llaw fawlyd Seimon ar ei enau. Ond er gwaetha popeth fe welodd Harri Liwsi yn ymestyn ei breichiau tuag ato ac yn ceisio ymryddhau o afael ei mam a'i brawd. Yna roedd y cwch wedi symud o'r lan ac yn rhwyfo'n araf yr ychydig lathenni rhwng y traeth a'r llong. Tynnodd Pierre Harri'r Glasgoed ar ei draed wedyn, ond daliai Seimon ei law dros ei geg o hyd. Gwelodd Harri'r tri yn mynd dros yr ochr i mewn i'r slŵp. Fe deimlai mor gynddeiriog nes bron methu â chael ei anadl. Gwnaeth un ymdrech anferth i dorri'n rhydd o afael y brodyr. Ond roedd y ddau'n rhy gryf iddo.

Pan edrychodd wedyn roedd Liwsi a Mari 'Fforin' wedi mynd o'r golwg ac Emil yn unig yn sefyll ar y bwrdd yn edrych tua'r traeth. Yna roedd y llong yn symud tua'r môr. Cyn bo hir roedd hi allan yng ngafael y gwynt a'r hwyliau'n llawn.

Rhyddhaodd y brodyr Harri Parri wedyn. Rhedodd hwnnw i lawr at fin y dŵr a rhuthrodd ton i mewn dros ei esgidiau a gwlychu ei goesau. Ond ni hidiai. Roedd Liwsi—merch brydferth y dafarn—wedi mynd!

Pennod 20

Yr oedd hi'n 1af o Fai pan ddaeth y llythyr o Lundain gyda'r Goets o Gei Newydd. Yn rhyfedd iawn, Wil Probert, yr un gŵr ifanc ag a oedd wedi dod â'r newyddion drwg am golli'r 'Betsi' bron wyth mis ynghynt, ddaeth ag ef o'r Cei i'r Glasgoed.

Deina a'i derbyniodd o'i law a mynd ag ef i'r Llyfrgell lle'r eisteddai'r hen ŵr yn ceisio darllen llyfr trwchus wedi ei rwymo mewn cloriau lledr.

"Llythyr o Lunden i chi!" meddai Deina, dipyn yn gynhyrfus, er na wyddai pam chwaith.

Estynnodd yr amlen wedi ei selio i Watcyn Parri. Torrodd hwnnw'r sêl yn frysiog. Edrychodd ar yr ysgrifen ac adnabu hi ar unwaith fel ei chwaer, Cathrin.

"Y . . . Deina . . . darllenwch chi e, newch chi? Mae'n hen lyged i . . ."

Cydiodd Deina yn y llythyr a dechrau darllen:

Dunmow House
Fenchurch Street
London.
Ebrill 25ain

Annwyl Watcyn a Harri,

Yr ydym ni yn ein galar a'n gofid mawr yma, ond rhaid i mi eistedd i lawr i sgrifennu hwn atoch, serch hynny. Fe fu farw fy annwyl briod neithiwr ar ôl yn agos i bythefnos o gystudd poenus—o'r Haint (haint yr ymysgaroedd, neu'r 'spotted fever', fel mae'r morwyr yn 'i galw hi). Mae'n ddrwg iawn yn Llundain yma ar hyn o bryd, yn enwedig yn ardal y dociau. Roedd gwaith James, druan, yn mynd ag e lawr i lan yr afon bob dydd bron . . . roeddwn i wedi 'i rhybuddio fe, ond roedd rhaid edrych ar ôl y busnes, medde fe.

Mae'r angladd dydd Iau nesaf, Ebrill y 28ain yn Eglwys Fenchurch, a hwyrach y bydd James, druan, wedi 'i roi yn y ddaear cyn y daw hwn i'ch llaw chi.

Nid wyf wedi cael amser eto i sylweddoli fy ngholled ar ei ôl nac wedi meddwl beth sy'n mynd i ddigwydd i fi nawr. Ond rwy'i wedi penderfynu'n barod na fydda i ddim yn aros yn Llunden. Fedra i ddim meddwl am fyw 'ma ar ôl i James fynd. Rwy'i am ddod nôl i'r Glasgoed, Watcyn, os wyt ti'n fodlon. Rwy'n meddwl gwerthu'r busnes yma cyn gynted ag y medra i, a'r tŷ hefyd.

Wn i ddim a wyt ti wedi dod i ben â thalu dy ddyledion i'r dyn Coleby yna o'r Cei, ond os nad wyt ti paid â gofidio, fe fydda i, wrth gwrs, yn clirio'r cyfan cyn gynted ag y dof fi adre.

Rwy'i wedi sgrifennu mwy nag a feddyliais, oherwydd rwy'n ddryslyd iawn fy meddwl ar hyn o bryd. Meddyliwch amdanaf yn fy ngalar a gweddïwch drosof.

Mewn hiraeth dwys.

Cathrin.

Roedd yr hen ŵr wedi codi ar ei draed tra roedd Deina'n darllen. Yn awr safai ar ganol y llawr â golwg ryfedd ar ei wyneb. Yna dywedodd mewn llais isel, crynedig, "Wel, wel, Deina! Trwy ddirgel ffyrdd mae Rhagluniaeth yn gweithio! Mae James wedi mynd—wedi marw o'r Haint . . . ond mae'r Glasgoed wedi ei achub! Dŷch chi ddim yn deall, Deina?" Roedd ei lais wedi codi nawr, "Mae'r Glasgoed yn ddiogel! O diolch i Dduw!" Yna yn fwy tawel eto, "Na! Na! Rhaid i fi beidio llawenhau, Deina, rhaid i fi alaru am 'y mrawd-yng-nghyfraith yn Llunden!"

Ond roedd Deina'n gwenu nes bod ei hen wyneb yn olau i gyd.

"O, gobeithio y ca i fyw i weld y dyn Coleby 'na'n dod

'ma i hawlio'r Glasgoed ac yna'n gorfod 'madel heb ddim ond 'i hen arian!" meddai. Cydiodd yr hen ŵr bonheddig am ei hysgwyddau a'i chofleidio.

"Mae'r Glasgoed yn ddiogel, Deina fach!" Roedd dagrau yn ei lais yn awr. Yna agorodd y drws a daeth Harri i mewn. Gwelodd yr hen ŵr ef ar unwaith.

"Harri!" gwaeddodd, "'y machgen annwl i—mae'r Glasgoed yn ddiogel. Darllen—darllen y llythyr 'ma!"

Cododd Harri'r llythyr o'r bwrdd a'i ddarllen yn frysiog. Ar ôl ei orffen tynnodd anadl hir a chaeodd ei lygaid yn dynn am foment. Oedd, roedd y Glasgoed wedi ei achub —bron ar y funud olaf. Meddyliodd am y cyfnod peryglus a thrafferthus o smyglo contraband er mwyn ceisio casglu'r arian oedd yn ddyledus i Coleby, a'r cais a wnaeth i gael etifeddes Rhydclommenod yn wraig iddo. Roedd y cyfan wedi bod yn ddi-angen—fel y gwyddai erbyn hyn. Fe fyddai ei Fodryb Cathrin yn barod i gwrdd â'r ddyled i gyd yn awr ar ôl i'w gŵr farw!

Yn sydyn roedd e'n meddwl am Liwsi.

Yna roedd e'n cerdded am y drws.

"Harri," gwaeddodd Watcyn Parri, "ble wyt ti'n mynd? Dwyt ti ddim wedi dweud . . ."

Trodd Harri yn ôl o'r drws.

"Nhad," meddai'n ddifrifol, "rwy'n mynd i Lydaw."

"I Lydaw!" meddai Deina. "I beth, yn enw dyn?"

"Na, Deina," meddai'r hen ŵr, gan roi llaw ar ei braich. Yna trodd at ei fab gan wenu trwy ei ddagrau.

"Pe bawn i'n bedair-ar-hugain oed, fel ti . . . ac mewn cariad . . . fe awn innau i Lydaw hefyd!"

Cydiodd Harri yn llaw ei dad a'i gwasgu. Roedden nhw'n nes at ei gilydd y funud honno nag y buon nhw erioed.

* * *

Roedd hi'n haf ym Morlaix a'r coed afalau yn eu blodau ac yn siew i'w gweld ym mhob un o erddi cymen y dref fach, brysur honno. Ar gadair yn yr awyr agored o flaen y 'Cafe Medon' eisteddai Harri Parri'r Glasgoed. Yn y fan honno roedd ganddo gysgod rhag yr haul ac roedd e mewn sefyllfa i allu gweld pawb a âi heibio ar y stryd. Roedd e wedi cyrraedd Morlaix y noson gynt, ac wedi holi llawer—am Lucille, Marie . . . Emil. Ond ysgwyd eu pennau a wnâi pawb, a mynd ymlaen â'u gwaith yn ddi-fater.

Roedd rhai wedi gwenu a hyd yn oed chwerthin ar ôl deall ei gwestiwn, a'r lleill wedi lledu eu dwylo a chodi eu hysgwyddau. On'd oedd yna 'Marie' bron ym mhob tŷ ym Morlaix, a llawer 'Lucille' ac 'Emil' o gwmpas y lle?

Ac yn awr roedd Harri wedi penderfynu mai gwylio'r stryd, yn y man canolog hwnnw, oedd y peth gorau i'w wneud—yn y gobaith y byddai'n gweld un o'r tri'n mynd heibio.

Bu'n eistedd yno am ddwy awr yn gwylio'r mynd a dod prysur. Gwelodd lawer o wragedd a merched glandeg Morlaix yn mynd heibio. Ond yn eu mysg nid oedd wyneb cyfarwydd Mari 'Fforin' nac wyneb annwyl ei merch—Liwsi. Roedd hi'n hanner dydd erbyn hyn a galwodd Harri am bryd o fwyd. Fe gafodd ei bryd bwyd ar fwrdd bychan yn y man lle'r eisteddai yn yr awyr agored.

Ar ôl gorffen ei bryd bwyd galwodd am lasied o win coch a bu'n eistedd am awr arall yn gwylio'r stryd. Yna penderfynodd gerdded tipyn i ystwytho'i goesau. Gadawodd y Cafe Medon a mynd i lawr y stryd. O'i flaen gwelodd dŵr eglwys yn codi'n bigfain i'r awyr a chyn bo hir daeth at yr eglwys ei hun. Roedd iddi ffenestri lliw prydferth a muriau cerfiedig. Safai yno fel darn o lonyddwch perffaith yng nghanol prysurdeb y dref. Aeth i mewn drwy'r porth mawr i edrych yn fanylach ar ei rhyfeddod. Bu'n edrych yn hir ar y cerfluniau ac ar y ffenestri uchel. O gwmpas yr eglwys yr oedd y fynwent—yn llawn o gerrig beddau—rhai gwych a rhai tlawd.

Yng nghanol y fynwent roedd dynes yn ei du i gyd, yn plygu yn ymyl un o'r cerrig beddau mwyaf di-nod. Roedd y ddynes â'i chefn tuag ato . . . ond roedd rhywbeth . . . rhywbeth yn gyfarwydd . . . Yna trodd y ddynes ei phen a dechreuodd calon Harri guro'n gyflymach. Mari oedd hi—Mari 'Fforin'!

Aeth yn nes tuag ati. Erbyn hyn roedd hi wedi plygu i chwynnu'r bedd heb sylwi fod neb yn ei gwylio. Cerddodd Harri ar draws y borfa feddal a sefyll y tu ôl iddi. Edrychodd ar y garreg fedd a darllen yr enwau arni. 'PIERRE BENODET'. Ac yn nes i lawr 'MARIE BENODET'. Mewn ysgrifen fanach roedd eu hoed a dyddiad eu marw. Yna fel pe bai wedi sylweddoli fod rhywun yn ei gwylio, cododd Mari 'Fforin' ar ei thraed a throi . . .

Am foment hir bu'r ddau yn edrych ar ei gilydd yn fud. Yna treiglodd dau ddeigryn mawr i lawr dros wyneb rhychiog y Llydawes.

"Harri! Harri Parri'r Glasgoed!" meddai â'i llais yn crynu. "O, mae hi wedi bod yn hiraethu amdanat ti!"

Nid oedd angen dweud am bwy roedd hi'n sôn. Ond eto ni ddywedodd Harri ddim. Fe deimlai rhyw lwmp poenus yn ei wddf. Yna roedd Mari'n siarad eto.

"Ond rhaid iddi beidio dy weld ti, neu fydd hi'n waeth byth. Rhaid i ti fynd . . ." Ond daeth Harri o hyd i'w dafod o'r diwedd.

"Na, Mari, chewch chi ddim mo'n gwahanu ni ragor. Mae'r Glasgoed wedi 'i achub a mae Nhad wedi rhoi 'i fendith . . ."

"Y Glasgoed wedi'i achub? Ond sut?"

Dywedodd Harri wrthi am farwolaeth ei ewyrth—James Tibbett o Lundain, ac am lythyr ei fodryb. Unwaith eto dechreuodd yr hen Lydawes grio'n ddistaw. Ond roedd hi'n gwenu hefyd yn awr—trwy ei dagrau.

"Ble mae hi, Mari?" gofynnodd Harri.

"Mae hi mewn fanna—yn yr eglwys . . ."

Cerddodd Harri'n frysiog ar draws y borfa at ddrws agored yr eglwys fawr. Roedd hi'n dywyll, ac yn dawel iawn tu fewn i'r eglwys, ac eto fe allai glywed murmur lleisiau isel yn rhywle. Ym mhen pella'r adeilad roedd canhwyllau ynghyn yma a thraw. Cerddodd yn ei flaen. Yno yn erbyn y mur ar y dde i'r gangell brydferth gwelodd ddelw o ferch ifanc mewn gwisg laes hyd ei thraed.

"Y Forwyn Fair," meddyliodd. Ond yng ngolau'r canhwyllau o gylch ei thraed gwelodd y geiriau wedi eu cerfio, 'ANNE DE BRETAGNE'. Yna gwelodd ferch ifanc â gorchudd o lês du dros ei phen yn codi ar ei thraed, ar ôl bod yn penlinio o flaen y santes.

"LIWSI!" Roedd llais Harri'n isel. Trodd y ferch ifanc i edrych arno gan daflu'r gorchudd yn ôl ar ei hysgwyddau. Gwelodd ei hwyneb wedyn—yn wyn ac yn llawn o'r syndod diniwed a welsai o'r blaen ar ambell noson olau-leuad yng Nghwmtydu.

Daeth ato yn araf ac yn swil â'i llygaid duon yn ddau gwestiwn mawr.

"Harri?" Yna roedd e wedi rhoi ei freichiau amdani a'i gwasgu'n dynn at ei fynwes fel pe bai am wneud yn siŵr na fyddai byth yn llithro o'i afael eto. Daeth arogl ei gwallt du i'w ffroenau a chlywodd hi'n rhoi ochenaid fach wrth estyn ei breichiau i fyny am ei wddf. Cododd Harri ei ben a gweld y santes Anne—Anne o Lydaw—yn edrych i lawr arnynt. Am foment syllodd ar ei hwyneb ifanc, tlws yng ngolau'r canhwyllau, a chafodd y syniad ffôl ei bod hi'n gwenu—yn gwenu arno ef a Liwsi ym mreichiau ei gilydd yn yr hen eglwys. Ac er nad oedd Harri Parri'r Glasgoed yn ddyn crefyddol iawn, fe luniodd ei wefusau weddi fach ddistaw y funud honno . . .

"Rho dy fendith arnon ni—Anne o Lydaw!"

*　*　*

Beth sydd ar ôl i'w adrodd? Fawr o ddim a dweud y gwir. Ond fe ddylid cofnodi, efallai, i Liwsi a Harri briodi yn yr eglwys fawr ym Morlaix—hynny oedd dymuniad Mari 'Fforin'—ac yna—dridiau yn ddiweddarach, dychwelodd y ddau i Gwmtydu ac i blas y Glasgoed, lle y cawsant groeso mawr iawn gan yr hen ŵr bonheddig a phawb. Ac fe ddylid cofnodi hefyd, hwyrach, i'r hen Watcyn Parri fyw'n ddigon hir i allu cymryd ei ŵyr bach cyntaf yn ei freichiau yn gynnar yn y flwyddyn 1790. Ond yn fuan wedyn—a hi'n fis Mai unwaith eto—fe fu farw'n sydyn ac yn dawel yn ei gadair freichiau yn llyfrgell y Glasgoed.

Ar ddydd ei angladd yr oedd pawb o bobl dlawd Cwmtydu wedi dod ynghyd i fynwent lwyd yr eglwys fach ar ben y bryn, ac nid oedd neb yno â'i ruddiau yn sych.